약수와 배수

교과 과정 완벽 대비
수학 전문가가 만든 **연산 교재**
다양한 형태의 문제로 재미있게 연습하는 **원리셈**

지은이의 말

수학은 원리로부터

수학은 구체물의 관계를 숫자와 기호의 약속으로 나타내는 추상적인 학문입니다. 이 점이 아이들이 수학을 어려워하는 가장 큰 이유입니다. 이러한 수학은 제대로 된 이해를 동반할 때 비로소 힘을 발휘할 수 있습니다. 수학은 어느 단계에서나 원리가 가장 중요합니다.

수학 교육의 변화

답을 내는 방법만 알아도 되는 수학 교육의 시대는 지나고 있습니다. 연산도 한 가지 방법만 반복 연습하기 보다 다양한 풀이 방법이 중요합니다. 교과서는 왜 그렇게 해야 하는지 가르쳐 주고 다양한 방법을 생각하도록 하지만, 학생들은 단순하게 반복되는 연습에 원리는 잊어버리고 기계적으로 답을 내다보니 응용된 내용의 이해가 부족합니다.

연산 학습은 꾸준히

유초등 학습 단계에 따라 4권~6권의 구성으로 매일 10분씩 꾸준히 공부할 수 있습니다. 원리와 다양한 방법의 학습은 그림과 함께 재미있게, 연습은 다양하게 진행하되 마무리는 집중하여 진행하도록 했습니다. 부담 없는 하루 학습량으로 꾸준히 공부하다 보면 어느새 연산 실력이 부쩍 늘어난 것을 알 수 있습니다.

개정판 원리셈은

동영상 강의 확대/초등 고학년 원리 학습 과정 강화 등으로 교과 과정을 완벽하게 대비할 수 있도록 원리와 개념, 계산 방법을 학습합니다. 단계별 원리 학습은 물론이고 연습도 강화했습니다.

학부모님들의 연산 학습에 대한 고민이 원리셈으로 해결되었으면 하는 바람입니다.

지은이 천종현

원리셈의 특징

원리셈의 학습 구성

한 권의 책은 매일 10분 / 매주 5일 / 6주 학습

원리셈의 시나브로 강해지는 학습 알고리즘

초등 원리셈은

시작은 원리의 이해로부터, 마무리는 충분한 연습과 성취도 확인까지

체계적인 학습 구성

쉽게 이해하고 스스로 공부!
실수가 많은 부분은 별도로 확인하고 연습!
주제에 따라 실전을 위한 확장적 사고가 필요한 내용까지!
원리로 시작되는 단계별 학습으로 곱셈구구마저 저절로 외워진다고 느끼도록!

원리셈 전체 단계

키즈 원리셈

5·6세	
1권	5까지의 수
2권	10까지의 수
3권	10까지의 수 세어 쓰기
4권	모아 세기
5권	빼어 세기
6권	크기 비교와 여러 가지 세기

6·7세	
1권	10까지의 더하기 빼기 1
2권	10까지의 더하기 빼기 2
3권	10까지의 더하기 빼기 3
4권	20까지의 더하기 빼기 1
5권	20까지의 더하기 빼기 2
6권	20까지의 더하기 빼기 3

7·8세	
1권	7까지의 모으기와 가르기
2권	9까지의 모으기와 가르기
3권	덧셈과 뺄셈
4권	10 가르기와 모으기
5권	10 만들어 더하기
6권	10 만들어 빼기

초등 원리셈

1학년	
1권	받아올림/ 내림 없는 두 자리 수 덧셈, 뺄셈
2권	덧셈구구
3권	뺄셈구구
4권	□ 구하기
5권	세 수의 덧셈과 뺄셈
6권	(두 자리 수)±(한 자리 수)

2학년	
1권	두 자리 수 덧셈
2권	두 자리 수 뺄셈
3권	세 수의 덧셈과 뺄셈
4권	곱셈
5권	곱셈구구
6권	나눗셈

3학년	
1권	세 자리 수의 덧셈과 뺄셈
2권	(두/세 자리 수)×(한 자리 수)
3권	(두/세 자리 수)×(두 자리 수)
4권	(두/세 자리 수)÷(한 자리 수)
5권	곱셈과 나눗셈의 관계
6권	분수

4학년	
1권	큰 수의 곱셈
2권	큰 수의 나눗셈
3권	분모가 같은 분수의 덧셈과 뺄셈
4권	소수의 덧셈과 뺄셈

5학년	
1권	혼합 계산
2권	약수와 배수
3권	분모가 다른 분수의 덧셈과 뺄셈
4권	분수와 소수의 곱셈

6학년	
1권	분수의 나눗셈
2권	소수의 나눗셈
3권	비와 비율
4권	비례식과 비례배분

초등 원리셈의 단계별 학습 목표

원리와 연습을 모두 잡는 원리셈!!

학년별 학습 목표와 다른 책에서는 만나기 힘든 특별한 내용을 확인해 보세요.

1학년 원리셈

모든 연산 과정 중 실수가 가장 많은 덧셈, 뺄셈의 집중 연습
여러 가지 계산 방법 알기
덧셈, 뺄셈의 관계를 이용한 '□ 구하기'의 이해

2학년 원리셈

두 자리 덧셈, 뺄셈의 여러 가지 계산 방법의 숙지와 이해
곱셈 개념을 폭넓게 이해하고, 곱셈구구를 힘들지 않게 외울 수 있는 구성
나눗셈은 3학년 교과의 내용이지만 곱셈구구를 외우는 것을 도우면서 곱셈구구의 범위에서 개념 위주 학습

3학년 원리셈

기본 연산은 정확한 이해와 충분한 연습
곱셈, 나눗셈의 관계를 이용한 '□ 구하기'의 이해
분수는 학생들이 어려워 하는 부분을 중점적으로 이해하고, 연습하도록 구성

4학년 원리셈

작은 수의 곱셈, 나눗셈 방법을 확장하여 이해하는 큰 수의 곱셈, 나눗셈
교과서에는 나오지 않는 실전적 연산을 포함
많이 틀리는 내용은 별도 집중학습

5학년 원리셈

연산은 개념과 유형에 따라 단계적으로 학습 후 충분한 연습
약수와 배수는 기본기를 단단하게 할 수 있는 체계적인 구성

6학년 원리셈

분수와 소수의 나눗셈은 원리를 단순화하여 이해
비의 개념을 확장하여 문장제 문제 등에서 만나는 비례 관계의 이해와 적용
비와 비례식은 중등 수학을 대비하는 의미도 포함. 강추 교재!!

5학년 구성과 특징

1권 자연수의 혼합 계산은 학생들이 어려움을 겪는 주제로, 단계적으로 공부하면서 쉽게 방법을 익힐 수 있도록 했습니다. 약수와 배수, 분수의 덧셈과 뺄셈, 분수와 소수의 곱셈은 원리를 알아보고, 연습은 빠르고, 정확하게 할 수 있도록 충분하게 진행합니다.

원리

원리를 직관적으로 이해하고 쉽게 공부할 수 있도록 하였습니다.

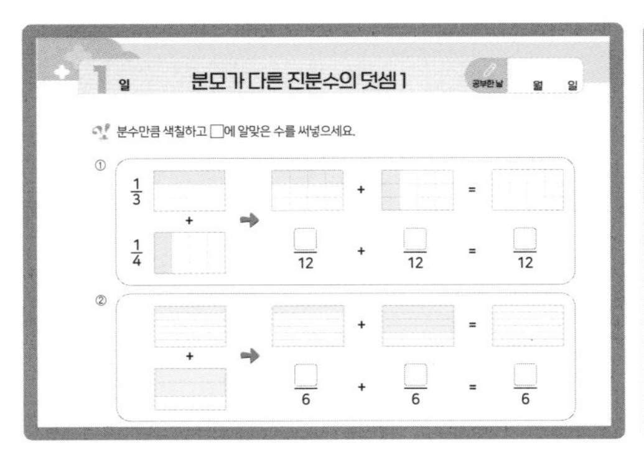

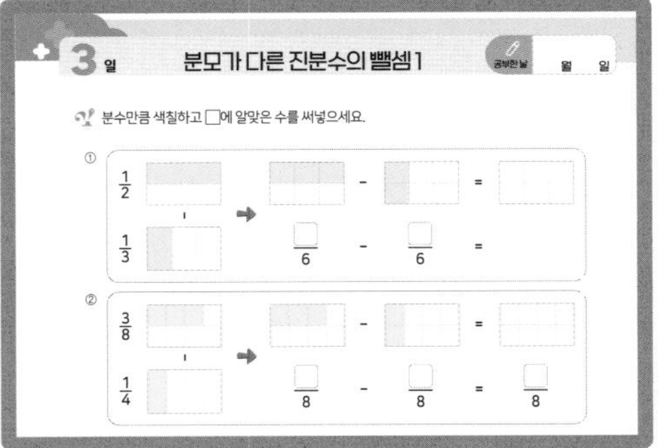

다양한 계산 방법

다양한 계산 방법을 공부함으로써 수를 다루는 감각을 키우고, 상황에 따라 더 정확하고 빠른 계산을 할 수 있도록 하였습니다.

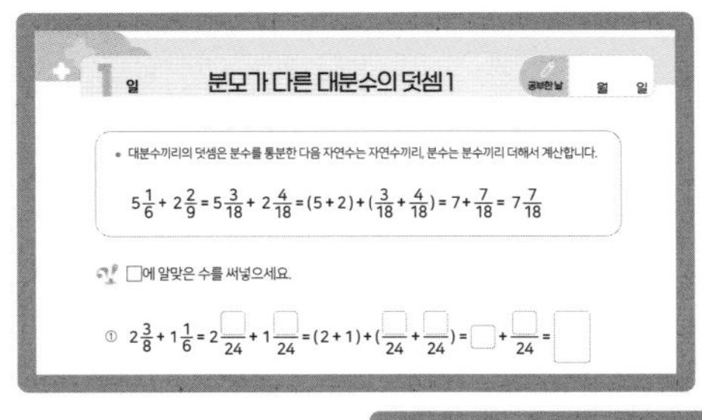

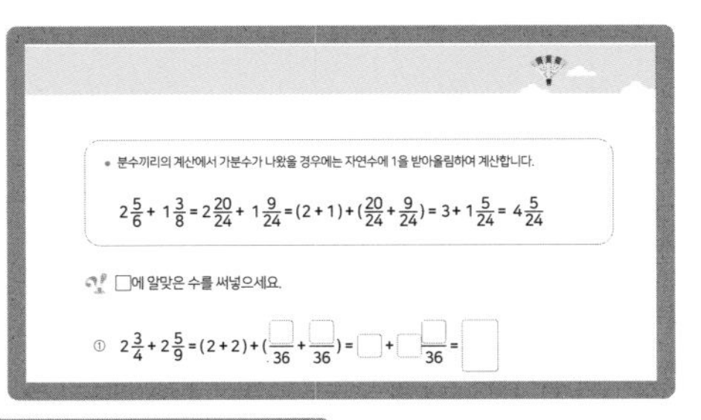

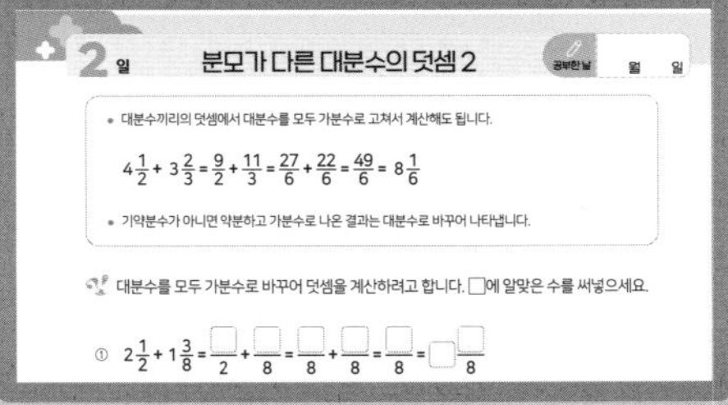

연습

기본 연습 문제를 중심으로 여러 형태의 문제로 지루하지 않게 반복하여 연습할 수 있도록 구성하였습니다.

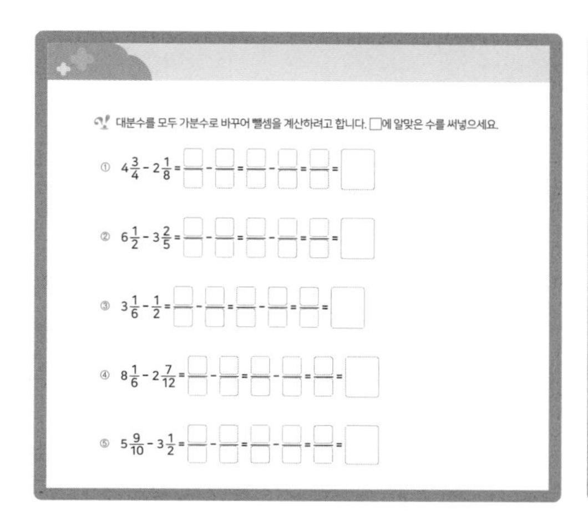
대분수를 모두 가분수로 바꾸어 뺄셈을 계산하려고 합니다. □에 알맞은 수를 써넣으세요.

① $4\frac{3}{4}-2\frac{1}{8}=$
② $6\frac{1}{2}-3\frac{2}{5}=$
③ $3\frac{1}{6}-\frac{1}{2}=$
④ $8\frac{1}{6}-2\frac{7}{12}=$
⑤ $5\frac{9}{10}-3\frac{1}{2}=$

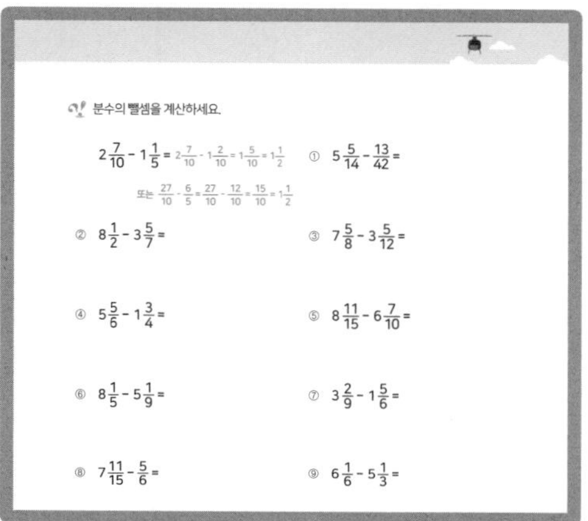
분수의 뺄셈을 계산하세요.

$2\frac{7}{10}-1\frac{1}{5}=2\frac{7}{10}-1\frac{2}{10}=1\frac{5}{10}=1\frac{1}{2}$

또는 $\frac{27}{10}-\frac{6}{5}=\frac{27}{10}-\frac{12}{10}=\frac{15}{10}=1\frac{1}{2}$

① $5\frac{5}{14}-\frac{13}{42}=$
② $8\frac{1}{2}-3\frac{5}{7}=$
③ $7\frac{5}{8}-3\frac{5}{12}=$
④ $5\frac{5}{6}-1\frac{3}{4}=$
⑤ $8\frac{11}{15}-6\frac{7}{10}=$
⑥ $8\frac{1}{5}-5\frac{1}{9}=$
⑦ $3\frac{2}{9}-1\frac{5}{6}=$
⑧ $7\frac{11}{15}-\frac{5}{6}=$
⑨ $6\frac{1}{6}-5\frac{1}{3}=$

도전! 계산왕

주제가 구분되는 두 개의 단원은 정확성과 빠른 계산을 위한 집중 연습으로 주제를 마무리 합니다.

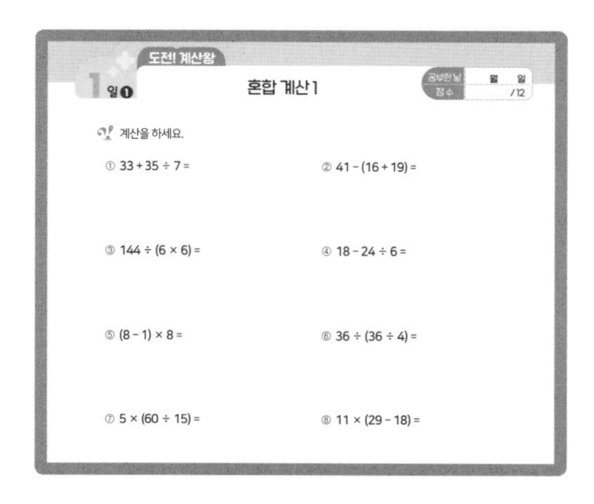
도전! 계산왕

1일 ❶ 혼합 계산 1

공부한 날 월 일 / 점수 /12

계산을 하세요.

① $33+35\div7=$
② $41-(16+19)=$
③ $144\div(6\times6)=$
④ $18-24\div6=$
⑤ $(8-1)\times8=$
⑥ $36\div(36\div4)=$
⑦ $5\times(60\div15)=$
⑧ $11\times(29-18)=$

성취도 평가

개념의 이해와 연산의 수행에 부족한 부분은 없는지 성취도 평가를 통해 확인합니다.

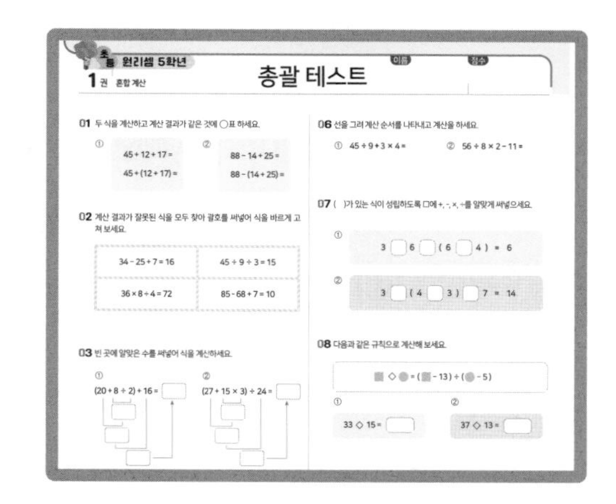
원리셈 5학년 1권 혼합 계산

총괄 테스트

이름 점수

01 두 식을 계산하고 계산 결과가 같은 것에 ○표 하세요.

① $45+12+17=$ / $45+(12+17)=$
② $88-14+25=$ / $88-(14+25)=$

02 계산 결과가 잘못된 식을 모두 찾아 괄호를 써넣어 식을 바르게 고쳐 보세요.

$34-25+7=16$ / $45\div9\div3=15$ / $36\times8\div4=72$ / $85-68+7=10$

03 빈 곳에 알맞은 수를 써넣어 식을 계산하세요.

① $(20+8\div2)+16=$ □
② $(27+15\times3)\div24=$ □

06 선을 그려 계산 순서를 나타내고 계산을 하세요.

① $45+9+3\times4=$
② $56\div8\times2-11=$

07 ( )가 있는 식이 성립하도록 □에 +, -, ×, ÷를 알맞게 써넣으세요.

① 3 □ 6 □ (6 □ 4) = 6
② 3 □ (4 □ 3) □ 7 = 14

08 다음과 같은 규칙으로 계산해 보세요.

■◇●=(■-13)+(●-5)

① 33◇15= □
② 37◇13= □

책의 사이사이에 학생의 학습을 돕기 위한 저자의 내용을 잘 이용하세요.

단원의 학습 내용과 방향

한 주차가 시작되는 쪽의 아래에 그 단원의 학습 내용과 어떤 방향으로 공부하는지를 설명해 놓았습니다.
학부모님이나 학생이 단원을 시작하기 전에 가볍게 읽어 보고 공부하도록 해 주세요.

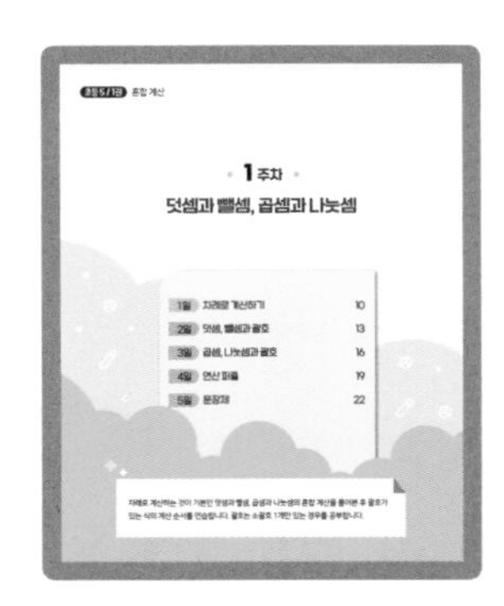

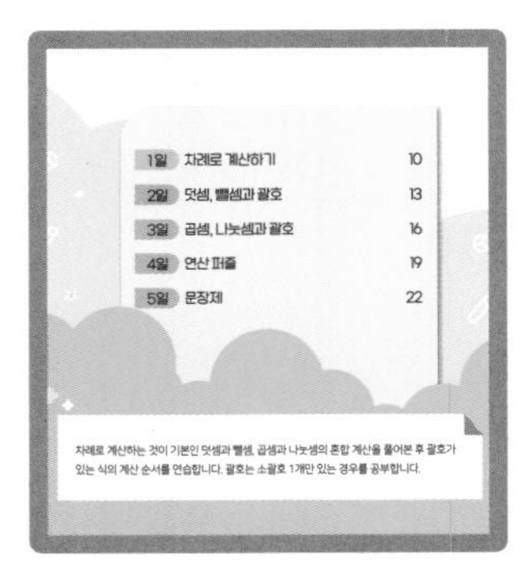

이해를 돕는 저자의 동영상 강의

처음 접하는 원리/개념과 연산 방법의 이해를 돕기 위한 동영상 강의가 있으니 이해가 어려운 내용은 QR코드를 이용하여 편리하게 동영상 강의를 보고, 공부하도록 하세요.

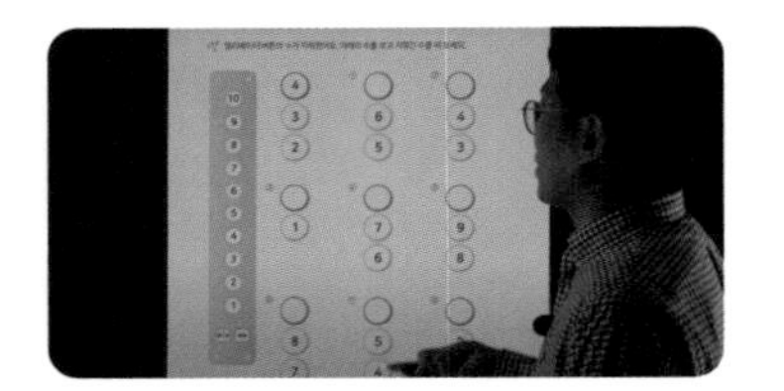

학습 Tip

간략한 도움글은 각 쪽의 아래에 있습니다.

천종현수학연구소 네이버 카페와 홈페이지를 활용하세요.

카페와 홈페이지에는 추가 문제 자료가 있고, 연산 외에서 수학 학습에 어려움을 상담 받을 수 있습니다.

네이버에서 천종현수학연구소를 검색하세요.

1 주차

약수와 배수

약수와 배수의 개념을 공부합니다. 최대공약수와 최소공배수의 기본 개념이 되며 나아가서는 분모가 다른 분수의 덧셈과 뺄셈을 하기 위한 예비 학습이 됩니다.

약수

- 어떤 수를 나누어떨어지게 하는 수를 그 수의 약수라고 합니다.
  6을 1에서 6까지 모든 수로 나누어 보면

$6 \div 1 = 6$	$6 \div 2 = 3$	$6 \div 3 = 2$
$6 \div 4 = 1 \cdots 2$	$6 \div 5 = 1 \cdots 1$	$6 \div 6 = 1$

6은 1, 2, 3, 6으로 나누면 나누어떨어집니다.
1, 2, 3, 6은 6의 약수입니다.

□에 알맞은 수를 써넣고 주어진 수의 약수를 모두 구하세요.

① $8 \div \square = 8$　$8 \div \square = 4$

$8 \div \square = 2$　$8 \div \square = 1$

8의 약수 ______

② $15 \div \square = 15$　$15 \div \square = 5$

$15 \div \square = 3$　$15 \div \square = 1$

15의 약수 ______

③ $12 \div \square = 12$　$12 \div \square = 6$

$12 \div \square = 4$　$12 \div \square = 3$

$12 \div \square = 2$　$12 \div \square = 1$

12의 약수 ______

④ $18 \div \square = 18$　$18 \div \square = 9$

$18 \div \square = 6$　$18 \div \square = 3$

$18 \div \square = 2$　$18 \div \square = 1$

18의 약수 ______

다음과 같이 곱셈을 이용하여 약수를 모두 구하세요.

10의 약수 1×10, 2×5 ➡ 1, 2, 5, 10

① 8의 약수 1×8, 2×4 ➡ ______

② 6의 약수 ______ ➡ ______

③ 9의 약수 ______ ➡ ______

④ 12의 약수 ______ ➡ ______

⑤ 15의 약수 ______ ➡ ______

⑥ 18의 약수 ______ ➡ ______

⑦ 21의 약수 ______ ➡ ______

⑧ 25의 약수 ______ ➡ ______

주어진 수들 중에서 ◆ 안의 수의 약수인 것에 모두 ○표를 하세요.

4

(1) (2) 3 (4) 6 8

6

1 2 3 4 5 6

9

1 2 3 6 9 12

13

1 3 7 9 13 26

18

1 2 3 4 8 9

27

2 3 5 9 17 27

36

1 2 4 8 12 18

45

3 5 7 9 45 90

51

2 5 7 17 51 69

63

2 3 7 9 21 63

약수가 2개인 수

월 일

- 1을 제외하고 2와 3처럼 나눌 수 있는 수가 1과 자기 자신뿐인 수들이 있습니다. 이런 수의 약수는 1과 자기 자신으로 2개입니다.

주어진 수의 약수를 모두 구하고 약수가 2개뿐인 수는 ◯표, 아닌 것에는 X표 하세요.

16 ➡ 1, 2, 4, 8, 16 (X)

① 17 ➡ ________ (   )

② 21 ➡ ________ (   )

③ 29 ➡ ________ (   )

④ 33 ➡ ________ (   )

⑤ 49 ➡ ________ (   )

주어진 수의 약수를 모두 구하고 약수가 2개뿐인 수는 ○표, 아닌 것에는 ╳표 하세요.

① 51 ➡ ______________________ (　　　)

② 56 ➡ ______________________ (　　　)

③ 61 ➡ ______________________ (　　　)

④ 65 ➡ ______________________ (　　　)

⑤ 77 ➡ ______________________ (　　　)

⑥ 79 ➡ ______________________ (　　　)

⑦ 81 ➡ ______________________ (　　　)

⑧ 89 ➡ ______________________ (　　　)

⑨ 91 ➡ ______________________ (　　　)

□에 약수가 2개뿐인 수가 몇 개인지 써넣으세요.

12	28	2	33	21	3	8	37

➡ □개

6	23	62	70	67	75	97	66

➡ □개

50	53	55	18	17	96	27	11

➡ □개

35	29	69	83	85	41	80	24

➡ □개

71	25	5	74	73	51	32	47

➡ □개

13	30	9	15	59	77	4	58

➡ □개

26	89	31	63	79	36	7	64

➡ □개

52	43	22	19	65	61	49	10

➡ □개

3일 배수

공부한 날 월 일

- 어떤 수를 1배, 2배, 3배, 4배, …… 한 수를 그 수의 배수라고 합니다.

  5를 1배, 2배, 3배, 4배, …… 하면

$5 \times 1 = 5$	$5 \times 2 = 10$	$5 \times 3 = 15$	……
$5 \times 4 = 20$	$5 \times 5 = 25$	$5 \times 6 = 30$	

  5, 10, 15, 20, 25, 30, …… 은 5의 배수입니다.

주어진 수의 배수를 가장 작은 수부터 차례로 5개 쓰세요.

① 3의 배수 ➡ □, □, □, □, □, ……

② 4의 배수 ➡ □, □, □, □, □, ……

③ 6의 배수 ➡     □, □, □, □, □, ……

④ 8의 배수 ➡       □, □, □, □, □, ……

⑤ 10의 배수 ➡    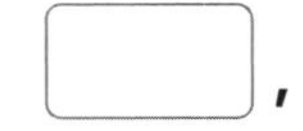 □, □, □, □, □, ……

Tip 어떤 수의 약수는 수가 정해져 있어 몇 개인지 구할 수 있지만 배수의 개수는 셀 수 없이 많습니다.

주어진 수들 중에서 ◇안의 수의 배수인 것에 모두 ○표를 하세요.

7

8 12 13 14 20 21

9

3 9 16 27 32 36

11

7 11 24 32 44 77

15

5 15 25 30 75 95

18

1 6 36 48 72 90

24

12 24 32 40 48 72

36

2 6 18 62 72 180

40

20 40 60 80 100 160

55

11 33 55 110 165 220

61

31 61 122 182 183 242

□에 조건을 만족하는 배수를 써넣으세요.

24보다 큰 6의 배수 중 가장 작은 수

➡ 30 $6 \times 4 = 24(\times)$ $6 \times 5 = 30(\bigcirc)$

① 30보다 작은 4의 배수 중 가장 큰 수

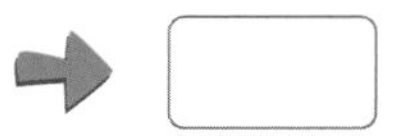

② 37보다 큰 5의 배수 중 가장 작은 수

➡ □

③ 48보다 작은 6의 배수 중 가장 큰 수

④ 55보다 큰 11의 배수 중 가장 작은 수

⑤ 70보다 작은 16의 배수 중 가장 큰 수

⑥ 70보다 큰 14의 배수 중 가장 작은 수

⑦ 90보다 작은 20의 배수 중 가장 큰 수

⑧ 80보다 큰 30의 배수 중 가장 작은 수

⑨ 100보다 작은 19의 배수 중 가장 큰 수

⑩ 70보다 큰 36의 배수 중 가장 작은 수

⑪ 140보다 작은 35의 배수 중 가장 큰 수

4 일

배수의 개수

□에 조건을 만족하는 개수를 써넣으세요.

40보다 작은 6의 배수의 개수

➡ [6] 개

$39 \div 6 = 6 \cdots 3$

1부터 39까지의 수에서
39를 6으로 나누면 몫이 6이고 나머지가 3이므로
6×1에서 6×6까지 모두 6개의 배수가 있습니다.

① 50보다 작은 5의 배수의 개수

➡ □ 개

② 60보다 작은 7의 배수의 개수

➡ □ 개

③ 55보다 작은 9의 배수의 개수

➡ □ 개

④ 64보다 작은 8의 배수의 개수

➡ □ 개

⑤ 99보다 작은 13의 배수의 개수

➡ □ 개

⑥ 98보다 작은 15의 배수의 개수

➡ □ 개

⑦ 100보다 작은 18의 배수의 개수

➡ □ 개

⑧ 130보다 작은 22의 배수의 개수

➡ □ 개

⑨ 165보다 작은 26의 배수의 개수

➡ □ 개

⑩ 187보다 작은 31의 배수의 개수

➡ □ 개

범위에 있는 배수의 개수가 몇 개인지 뺄셈식으로 구하세요.

28보다 크고 57보다 작은 수 중에서 3의 배수의 개수

18 - 9 = 9 (개)

56÷3=18…2 28÷3=9…1

1에서 56까지 3의 배수가 18개, 1에서 28까지 3의 배수가 9개이므로 29에서 56까지의 수에는 3의 배수는 모두 18-9=9(개)가 있습니다.

① 21보다 크고 70보다 작은 수 중에서 4의 배수의 개수

☐ - ☐ = ☐ (개)

② 35보다 크고 90보다 작은 수 중에서 6의 배수의 개수

☐ - ☐ = ☐ (개)

③ 50보다 크고 100보다 작은 수 중에서 8의 배수의 개수

☐ - ☐ = ☐ (개)

④ 40보다 크고 90보다 작은 수 중에서 9의 배수의 개수

☐ - ☐ = ☐ (개)

⑤ 37보다 크고 100보다 작은 수 중에서 12의 배수의 개수

☐ - ☐ = ☐ (개)

범위 안의 ★이 될 수 있는 배수의 개수가 몇 개인지 구하세요.

① $9 < \bigstar < 65$

4의 배수의 개수 : □개

② $18 < \bigstar < 75$

5의 배수의 개수 : □개

③ $26 < \bigstar < 96$

6의 배수의 개수 : □개

④ $32 < \bigstar < 88$

7의 배수의 개수 : □개

⑤ $30 < \bigstar < 90$

9의 배수의 개수 : □개

⑥ $20 < \bigstar < 70$

11의 배수의 개수 : □개

⑦ $20 < \bigstar < 89$

3의 배수의 개수 : □개

⑧ $17 < \bigstar < 100$

10의 배수의 개수 : □개

⑨ $10 < \bigstar < 90$

2의 배수의 개수 : □개

⑩ $5 < \bigstar < 70$

12의 배수의 개수 : □개

약수와 배수의 관계

식을 보고 □ 안에 약수가 들어가면 '약수'를, 배수가 들어가면 '배수'를 알맞게 써넣으세요.

① $5 \times 4 = 20$

20은 5의 □ 입니다.

4는 20의 □ 입니다.

② $9 \times 6 = 54$

6은 54의 □ 입니다.

54는 9의 □ 입니다.

③ $11 \times 7 = 77$

11은 77의 □ 입니다.

77은 7의 □ 입니다.

④ $15 \times 5 = 75$

75는 5의 □ 입니다.

75는 15의 □ 입니다.

⑤ $12 \times 9 = 108$

9는 108의 □ 입니다.

12는 108의 □ 입니다.

⑥ $10 \times 11 = 110$

110은 10의 □ 입니다.

11은 110의 □ 입니다.

⑦ $16 \times 14 = 224$

16은 224의 □ 입니다.

224는 14의 □ 입니다.

⑧ $17 \times 18 = 306$

17은 306의 □ 입니다.

306은 18의 □ 입니다.

두 수가 서로 약수와 배수의 관계인 수를 모두 이으세요.

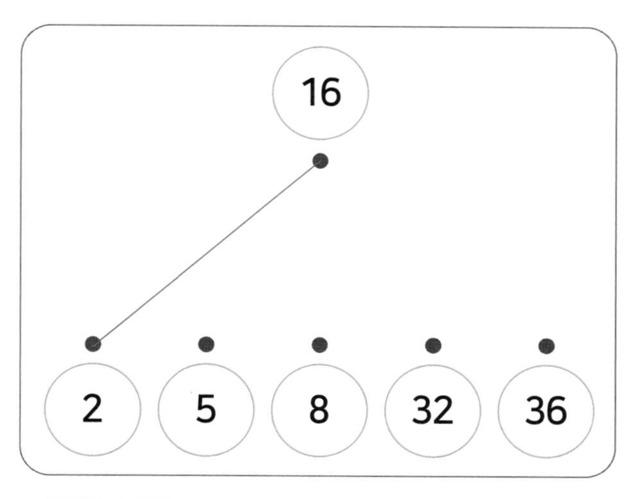

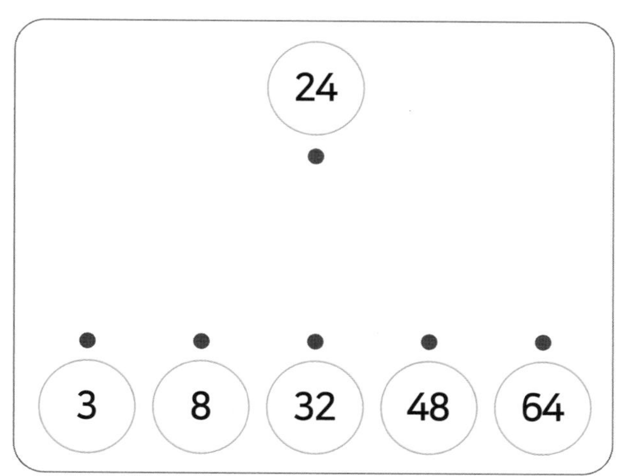

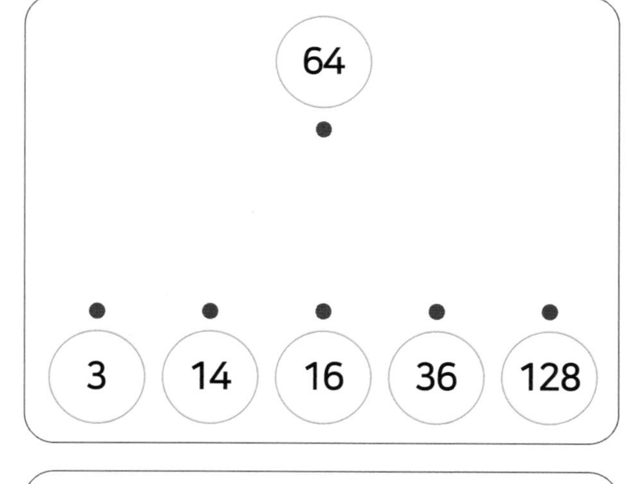

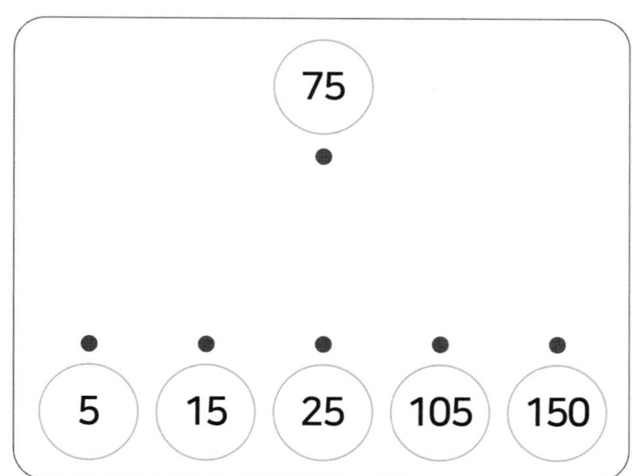

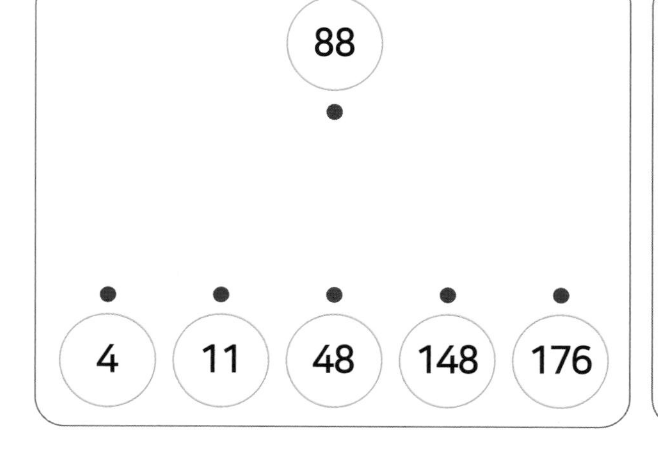

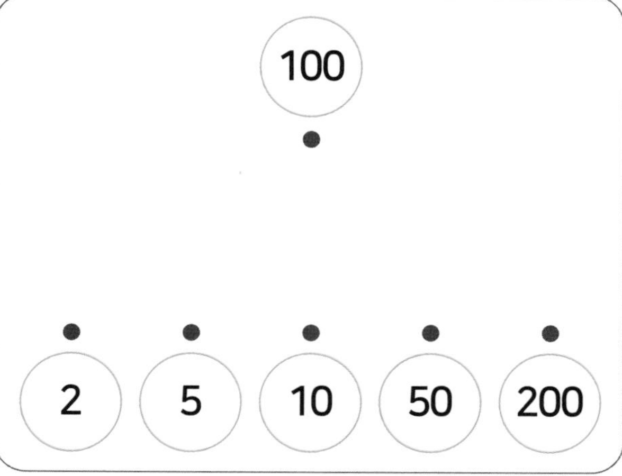

세 수 중에서 약수와 배수의 관계인 두 수를 찾아 모두 ◯표 하세요.

4	58	72

56	6	78

91	78	7

32	63	9

75	13	65

14	114	70

144	18	74

85	120	15

17	61	119

95	25	19

13	121	11

68	24	136

63	120	21

125	80	25

142	22	198

130	30	65

204	132	34

38	266	192

2주차

도전! 계산왕

약수 구하기

공부한 날	월 일
점수	/9

곱셈을 이용하여 약수를 모두 구하세요.

①	12	
②	20	
③	44	
④	56	
⑤	72	
⑥	22	
⑦	35	
⑧	50	
⑨	60	

약수 구하기

공부한 날	월 일
점수	/9

곱셈을 이용하여 약수를 모두 구하세요.

①	10	
②	24	
③	13	
④	32	
⑤	49	
⑥	78	
⑦	48	
⑧	63	
⑨	80	

약수 구하기

공부한 날	월 일
점수	/9

곱셈을 이용하여 약수를 모두 구하세요.

①	11	
②	25	
③	30	
④	51	
⑤	64	
⑥	26	
⑦	33	
⑧	54	
⑨	66	

약수 구하기

공부한 날	월 일
점수	/9

곱셈을 이용하여 약수를 모두 구하세요.

①	16	
②	27	
③	45	
④	68	
⑤	28	
⑥	48	
⑦	42	
⑧	60	
⑨	81	

약수 구하기

공부한 날	월 일
점수	/9

곱셈을 이용하여 약수를 모두 구하세요.

①	15	
②	36	
③	40	
④	65	
⑤	88	
⑥	34	
⑦	27	
⑧	42	
⑨	75	

약수 구하기

공부한 날	월 일
점수	/9

곱셈을 이용하여 약수를 모두 구하세요.

①	21	
②	39	
③	52	
④	70	
⑤	32	
⑥	48	
⑦	45	
⑧	62	
⑨	96	

약수 구하기

공부한 날	월 일
점수	/9

곱셈을 이용하여 약수를 모두 구하세요.

①	9	
②	20	
③	36	
④	49	
⑤	30	
⑥	16	
⑦	42	
⑧	63	
⑨	80	

약수 구하기

공부한 날	월 일
점수	/9

곱셈을 이용하여 약수를 모두 구하세요.

①	8	
②	12	
③	25	
④	40	
⑤	65	
⑥	21	
⑦	28	
⑧	56	
⑨	72	

약수 구하기

공부한 날	월 일
점수	/9

곱셈을 이용하여 약수를 모두 구하세요.

①	24	
②	10	
③	27	
④	50	
⑤	95	
⑥	28	
⑦	6	
⑧	33	
⑨	81	

약수 구하기

공부한 날 월 일
점수 /9

곱셈을 이용하여 약수를 모두 구하세요.

번호	수	약수
①	14	
②	23	
③	37	
④	45	
⑤	51	
⑥	30	
⑦	22	
⑧	52	
⑨	96	

MEMO

3주차

공약수와 공배수

공약수와 공배수, 최대공약수와 최소공배수의 개념을 알아보고 간단하게 구할 수 있는 최대공약수, 최소공배수를 공부합니다. 약수와 배수 관계인 두 수와 공약수가 1뿐인 두 수의 최대공약수와 최소공배수에 관한 규칙도 공부합니다.

두 수의 공약수

- 두 수의 공통인 약수를 두 수의 공약수라고 합니다.

4의 약수 : 1, 2, 4

10의 약수 : 1, 2, 5, 10

➡ 4와 10의 공약수 : 1, 2

○ 안에 두 수의 약수를 크기 순으로 모두 쓰고 두 수의 공약수를 색칠하세요.

12의 약수	1	2	3	4	6	12				
20의 약수	1	2	4	5	10	20				

8의 약수										
20의 약수										

18의 약수										
15의 약수										

12의 약수										
24의 약수										

빈 곳에 두 수의 공약수를 모두 써넣으세요.

①

4	6

②

8	16

③

8	12

④

9	15

⑤

12	24

⑥

15	30

⑦

24	36

⑧

20	40

⑨

18	36

⑩

16	24

- 두 수의 공약수가 1뿐인 경우가 있습니다.

  15의 약수 : 1, 3, 5, 15
  28의 약수 : 1, 2, 4, 7, 14, 28

  ➡ 15와 28의 공약수 : 1

공약수가 1뿐인 두 수에 ○표 하세요.

6, 27 (   )

6, 17 (   )

15, 23 (   )

3, 42 (   )

13, 26 (   )

19, 12 (   )

18, 45 (   )

8, 25 (   )

27, 28 (   )

49, 70 (   )

41, 16 (   )

39, 91 (   )

두 수의 공배수

공부한 날 월 일

- 두 수의 공통인 배수를 두 수의 공배수라고 합니다.

4의 배수 : 4, 8, 12, 16, 20, 24, 28, 32, 36, ……
6의 배수 : 6, 12, 18, 24, 30, 36, 42, ……

➡ 4와 6의 공배수 : 12, 24, 36, ……

각각의 배수를 써서 두 수의 공배수를 작은 수부터 3개 구하세요.

6의 배수	6, 12, 18, 24, 30, 36, 42, 48, 54, 60, 66, 72, 78, ……
8의 배수	8, 16, 24, 32, 40, 48, 56, 64, 72, 80, ……

➡ 6과 8의 공배수 24, 48, 72

①

2의 배수	
3의 배수	

➡ 2와 3의 공배수 ______

②

2의 배수	
4의 배수	

➡ 2와 4의 공배수 ______

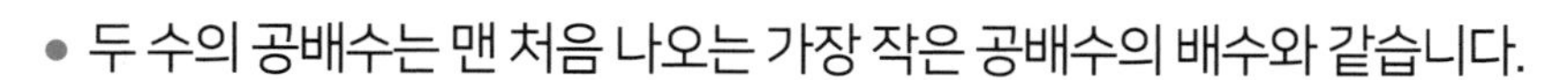

- 두 수의 공배수는 맨 처음 나오는 가장 작은 공배수의 배수와 같습니다.

8의 배수 : 8, 16, 24, 32, 40, 48, 56, 64, 72, ……

12의 배수 : 12, 24, 36, 48, 60, 72, 84, ……

8과 12의 공배수 : 24, 48, 72, 96, 120, ……

➡ 8과 12의 가장 작은 공배수인 24의 배수와 같습니다.

빈 곳에 두 수의 공배수를 작은 수부터 3개 쓰세요.

①

4	5

②

2	8

③

3	9

④

6	8

⑤

7	14

⑥

20	9

두 수의 공배수를 작은 수부터 3개 구하고 두 수의 곱이 가장 작은 공배수와 같은 것에 ◯표 하세요.

7과 5의 공배수 : 35, 70, 105 (◯)

두 수의 곱 : 35

6과 15의 공배수 : ______ ( )

3과 10의 공배수 : ______ ( )

35와 14의 공배수 : ______ ( )

9와 7의 공배수 : ______ ( )

8과 3의 공배수 : ______ ( )

4와 12의 공배수 : ______ ( )

12와 15의 공배수 : ______ ( )

Tip

공약수가 1뿐인 두 수의 공배수는 두 수의 곱의 배수와 같습니다.

3일 두 수의 공약수와 공배수

공부한 날 월 일

두 수의 공약수인 것에는 ○표를, 공배수인 것에는 △표를 하세요.

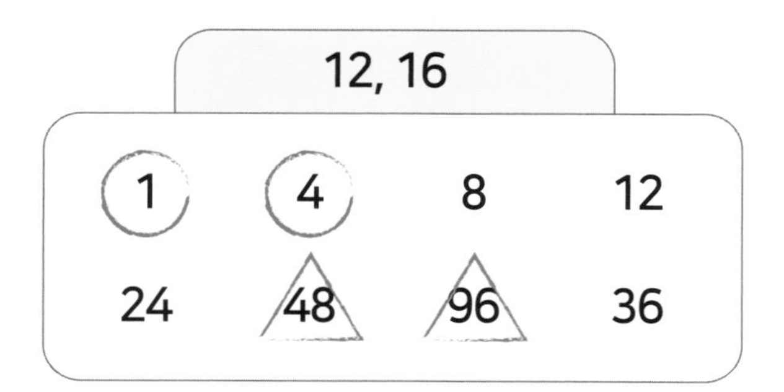

21, 9

2	3	7	9
21	63	81	126

3, 6

1	3	6	12
15	14	30	39

14, 35

2	3	5	7
14	70	90	140

36, 48

4	9	12	18
24	96	108	144

24, 16

2	4	6	8
36	48	72	108

9, 27

3	7	9	27
54	63	72	81

18, 30

3	4	6	10
12	60	90	120

공약수가 두 수 중 작은 수의 약수와 같은 것에 모두 ○표 하세요.

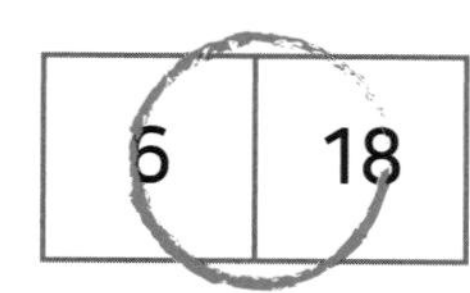

6	18

6	9

21	15

7	21

16	2

18	27

4	8

9	18

12	24

21	35

16	24

54	18

10	40

20	30

Tip
두 수가 약수와 배수의 관계이면 두 수의 공약수는 작은 수의 약수와 같습니다.

두 수 중 하나의 배수가 두 수의 공배수와 같은 것에 모두 ◯표 하세요.

6	18

7	3

2	4

12	18

14	21

24	3

5	15

6	15

14	8

8	32

9	45

6	10

20	30

33	11

Tip
두 수가 약수와 배수의 관계이면 두 수의 공배수는 큰 수의 배수와 같습니다.

4일 최대공약수와 최소공배수

- 두 수의 공약수 중에서 가장 큰 수를 두 수의 최대공약수라고 합니다.

8과 24의 공약수 : 1, 2, 4, 8

➡ 8과 24의 최대공약수 : 8

□에 두 수의 공약수와 최대공약수를 써넣으세요.

① 10, 25

공약수 : □

최대공약수 : □

② 12, 24

공약수 : □

최대공약수 : □

③ 8, 10

공약수 : □

최대공약수 : □

④ 16, 24

공약수 : □

최대공약수 : □

⑤ 20, 30

공약수 : □

최대공약수 : □

⑥ 18, 36

공약수 : □

최대공약수 : □

Tip 두 수의 공약수 중 가장 작은 수는 항상 1이므로 두 수의 최소공약수는 생각하지 않습니다.

- 두 수의 공배수 중에서 가장 작은 수를 두 수의 최소공배수라고 합니다.

6과 9의 공배수 : 18, 36, 54, 72, ……

➡ 6과 9의 최소공배수 : 18

□에 두 수의 공배수를 크기 순으로 3개 구하고 최소공배수를 써넣으세요.

① 8, 12

공배수 : □

최소공배수 : □

② 20, 10

공배수 : □

최소공배수 : □

③ 6, 9

공배수 : □

최소공배수 : □

④ 14, 4

공배수 : □

최소공배수 : □

⑤ 3, 7

공배수 : □

최소공배수 : □

⑥ 6, 15

공배수 : □

최소공배수 : □

Tip
두 수의 공배수는 계속 커지게 되므로 두 수의 최대공배수는 생각하지 않습니다.

◇ 안에는 두 수의 최대공약수를, ○ 안에는 두 수의 최소공배수를 각각 써넣으세요.

① 

8, 20

② 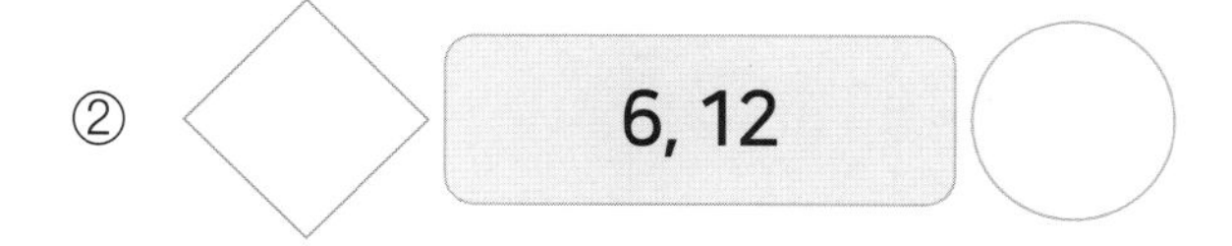

6, 12

③ 

10, 40

④ 

14, 21

⑤ 

24, 16

⑥ 

25, 10

⑦ 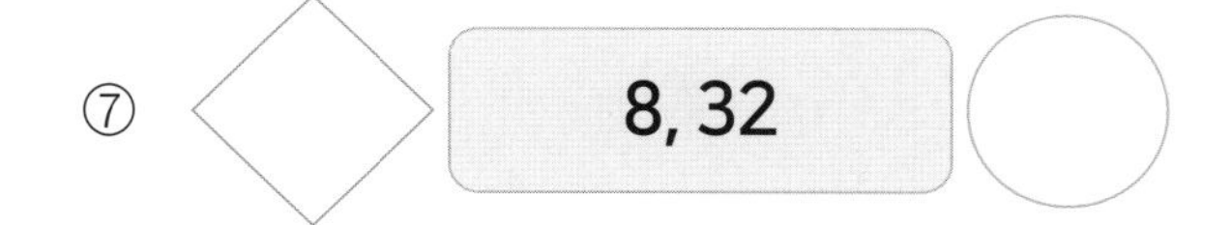

8, 32

⑧ 

16, 40

⑨ 

14, 35

⑩ 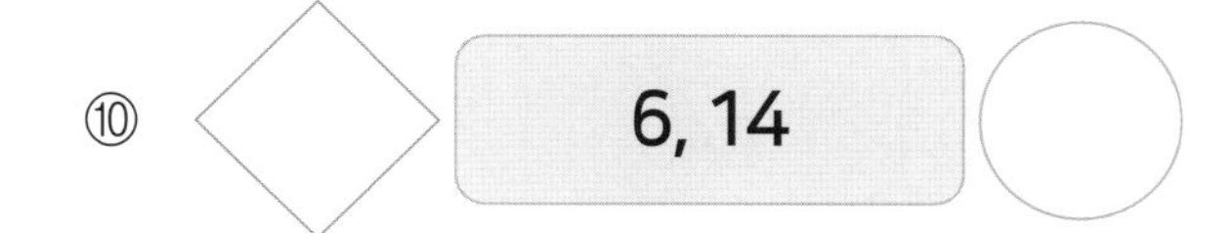

6, 14

⑪ 

9, 12

⑫ 

12, 15

⑬ 18, 45

⑭ 

72, 48

5일 특별한 두 수의 최대공약수와 최소공배수

월 일

□에는 두 수의 최대공약수를, ○에는 두 수의 최소공배수를 써넣으세요.

①

		□	○
24	3		
2	4		
14	7		
11	22		

②

		□	○
6	12		
15	30		
18	9		
12	24		

③

		□	○
6	36		
8	40		
52	13		
20	80		

④

		□	○
12	60		
24	96		
32	96		
96	16		

⑤

		□	○
21	84		
27	81		
92	46		
25	75		

⑥

		□	○
13	65		
38	76		
32	16		
42	7		

Tip

약수와 배수의 관계에 있는 두 수의 최대공약수와 최소공배수의 규칙을 찾아봅니다.

□에는 두 수의 최대공약수를, ○에는 두 수의 최소공배수를 써넣으세요.

①

		□	○
3	7		
9	5		
8	11		
7	16		

②

		□	○
7	6		
4	13		
10	11		
5	14		

③

		□	○
9	14		
3	16		
5	26		
12	23		

④

		□	○
11	19		
3	10		
16	13		
7	20		

⑤

		□	○
5	19		
2	21		
17	4		
5	18		

⑥

		□	○
3	11		
5	6		
3	31		
2	43		

Tip

공약수가 1 뿐인 두 수의 최대공약수와 최소공배수의 규칙을 찾아봅니다.

연필을 사용하지 않고 어림하여 두 수의 최대공약수에는 ◯표를, 최소공배수에는 △표를 하세요.

81, 9

27	3	9
162	81	18

3, 13

39	9	26
16	1	6

27, 81

72	9	54
27	3	81

5, 22

5	110	15
1	2	220

92, 23

23	184	46
115	96	92

15, 16

15	1	2
90	48	240

84, 14

7	42	84
70	14	252

11, 12

12	11	132
23	1	121

4주차

최대공약수 구하기

최대공약수를 구하는 두 가지 방법을 배우고 5일차에서 최대공약수와 공약수의 관계를 알아봅니다. 최대공약수는 분수 계산 등에서 많이 활용되므로 언제든지 정확하게 구할 수 있도록 연습합니다.

함께 나누어 구하기

공부한 날 월 일

두 수를 동시에 나누어서 최대공약수를 구할 수 있습니다.

두 수의 최대공약수가 1이 될 때까지 약수로 계속 나눕니다.

$$\begin{array}{r|rr} 2 & 12 & 18 \\ \hline 3 & 6 & 9 \\ \hline & 2 & 3 \end{array}$$

약수로 나눈 몫을 씁니다.

12와 18의 최대공약수 : $2 \times 3 = 6$

최대공약수는 나눈 약수를 모두 곱해서 구합니다.

두 수를 동시에 나누어서 최대공약수를 구하세요.

$$\begin{array}{r|rr} 2 & 10 & 30 \\ \hline 5 & 5 & 15 \\ \hline & 1 & 3 \end{array}$$

최대공약수 : $2 \times 5 = 10$

$$\begin{array}{r|rr} & 9 & 24 \\ \hline \end{array}$$

최대공약수 :

$$\begin{array}{r|rr} & 42 & 49 \\ \hline \end{array}$$

최대공약수 :

$$\begin{array}{r|rr} & 24 & 36 \\ \hline \end{array}$$

최대공약수 :

Tip

12와 18을 2와 3으로 두 번 나누지 않고 6으로 한 번에 나눌 수도 있습니다.

두 수를 동시에 나누어서 최대공약수를 구하세요.

$\overline{)15 \quad 24}$ 최대공약수 : ______

$\overline{)18 \quad 30}$ 최대공약수 : ______

$\overline{)30 \quad 42}$ 최대공약수 : ______

$\overline{)33 \quad 44}$ 최대공약수 : ______

$\overline{)9 \quad 27}$ 최대공약수 : ______

$\overline{)16 \quad 10}$ 최대공약수 : ______

$\overline{)20 \quad 45}$ 최대공약수 : ______

$\overline{)42 \quad 36}$ 최대공약수 : ______

두 수를 동시에 나누어서 최대공약수를 구하세요.

나눗셈	최대공약수
)45 30	최대공약수 :
)26 91	최대공약수 :
)8 22	최대공약수 :
)9 21	최대공약수 :
)16 24	최대공약수 :
)30 27	최대공약수 :
)24 40	최대공약수 :
)27 63	최대공약수 :

함께 나누어 구하기 연습

공부한 날 월 일

두 수를 동시에 나누어서 최대공약수를 구하세요.

)64 28 최대공약수 :

)38 56 최대공약수 :

)27 36 최대공약수 :

)33 66 최대공약수 :

)60 24 최대공약수 :

)20 32 최대공약수 :

)25 45 최대공약수 :

)42 54 최대공약수 :

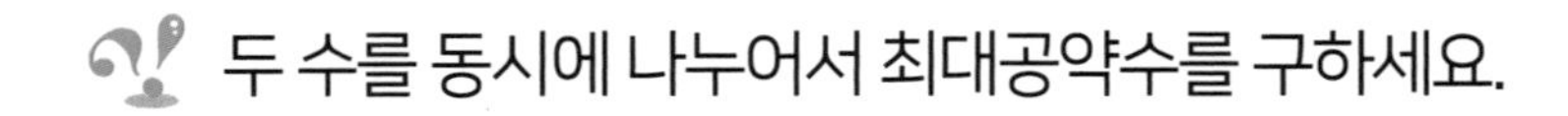

두 수를 동시에 나누어서 최대공약수를 구하세요.

) 35 40 최대공약수 : ______

) 56 24 최대공약수 : ______

) 27 45 최대공약수 : ______

) 95 45 최대공약수 : ______

) 15 40 최대공약수 : ______

) 70 35 최대공약수 : ______

) 64 84 최대공약수 : ______

) 12 40 최대공약수 : ______

두 수의 최대공약수를 써넣으세요.

① 10, 45 → ☐

② 6, 18 → ☐

③ 10, 14 → ☐

④ 6, 27 → ☐

⑤ 24, 36 → ☐

⑥ 20, 15 → ☐

⑦ 25, 20 → ☐

⑧ 18, 10 → ☐

⑨ 49, 28 → ☐

⑩ 16, 40 → ☐

⑪ 6, 45 → ☐

⑫ 18, 15 → ☐

작은 수들의 곱으로 구하기

공부한 날 월 일

약수가 1과 자기 자신뿐인 수들의 곱으로 나타낸 식을 보고 최대공약수를 구할 수 있습니다.

$16 = 2 \times 2 \times 2 \times 2$

$20 = 2 \times 2 \times 5$

최대공약수는 두 수에 공통으로 곱해진 수를 한 번씩 곱합니다.

16과 20의 최대공약수 : $2 \times 2 = 4$

약수가 1과 자기 자신뿐인 수들의 곱으로 나타낸 것을 보고 최대공약수를 구하세요.

$30 = 2 \times 3 \times 5$

$15 = 3 \times 5$

최대공약수 : $3 \times 5 = 15$

①

$12 = 2 \times 2 \times 3$

$16 = 2 \times 2 \times 2 \times 2$

최대공약수 : ____________

②

$9 = 3 \times 3$

$15 = 3 \times 5$

최대공약수 : ____________

③

$35 = 5 \times 7$

$21 = 3 \times 7$

최대공약수 : ____________

④

$6 = 2 \times 3$

$27 = 3 \times 3 \times 3$

최대공약수 : ____________

⑤

$50 = 2 \times 5 \times 5$

$20 = 2 \times 2 \times 5$

최대공약수 : ____________

약수가 1과 자기 자신뿐인 수들의 곱으로 나타낸 것을 보고 최대공약수를 구하세요.

①

$21 = 3 \times 7$

$28 = 2 \times 2 \times 7$

최대공약수 : ______

②

$15 = 3 \times 5$

$25 = 5 \times 5$

최대공약수 : ______

③

$12 = 2 \times 2 \times 3$

$18 = 2 \times 3 \times 3$

최대공약수 : ______

④

$18 = 2 \times 3 \times 3$

$8 = 2 \times 2 \times 2$

최대공약수 : ______

⑤

$9 = 3 \times 3$

$21 = 3 \times 7$

최대공약수 : ______

⑥

$16 = 2 \times 2 \times 2 \times 2$

$20 = 2 \times 2 \times 5$

최대공약수 : ______

⑦

$14 = 2 \times 7$

$70 = 2 \times 5 \times 7$

최대공약수 : ______

⑧

$18 = 2 \times 3 \times 3$

$27 = 3 \times 3 \times 3$

최대공약수 : ______

⑨

$15 = 3 \times 5$

$60 = 2 \times 2 \times 3 \times 5$

최대공약수 : ______

⑩

$40 = 2 \times 2 \times 2 \times 5$

$30 = 2 \times 3 \times 5$

최대공약수 : ______

약수가 1과 자기 자신뿐인 수들의 곱으로 나타낸 것을 보고 최대공약수를 구하세요.

①

$12 = 2 \times 2 \times 3$

$42 = 2 \times 3 \times 7$

최대공약수 : ______

②

$15 = 3 \times 5$

$45 = 3 \times 3 \times 5$

최대공약수 : ______

③

$8 = 2 \times 2 \times 2$

$20 = 2 \times 2 \times 5$

최대공약수 : ______

④

$12 = 2 \times 2 \times 3$

$9 = 3 \times 3$

최대공약수 : ______

⑤

$20 = 2 \times 2 \times 5$

$25 = 5 \times 5$

최대공약수 : ______

⑥

$35 = 5 \times 7$

$42 = 2 \times 3 \times 7$

최대공약수 : ______

⑦

$24 = 2 \times 2 \times 2 \times 3$

$36 = 2 \times 2 \times 3 \times 3$

최대공약수 : ______

⑧

$18 = 2 \times 3 \times 3$

$14 = 2 \times 7$

최대공약수 : ______

⑨

$30 = 2 \times 3 \times 5$

$35 = 5 \times 7$

최대공약수 : ______

⑩

$42 = 2 \times 3 \times 7$

$70 = 2 \times 5 \times 7$

최대공약수 : ______

4 일 작은 수들의 곱으로 구하기 연습

공부한 날 월 일

약수가 1과 자기 자신뿐인 수들의 곱으로 나타낸 것을 보고 최대공약수를 구하세요.

①
$8 = 2 \times 2 \times 2$
$12 = 2 \times 2 \times 3$
최대공약수 : ______

②
$15 = 3 \times 5$
$50 = 2 \times 5 \times 5$
최대공약수 : ______

③
$9 = 3 \times 3$
$27 = 3 \times 3 \times 3$
최대공약수 : ______

④
$35 = 5 \times 7$
$14 = 2 \times 7$
최대공약수 : ______

⑤
$12 = 2 \times 2 \times 3$
$24 = 2 \times 2 \times 2 \times 3$
최대공약수 : ______

⑥
$26 = 2 \times 13$
$91 = 7 \times 13$
최대공약수 : ______

⑦
$48 = 2 \times 2 \times 2 \times 2 \times 3$
$16 = 2 \times 2 \times 2 \times 2$
최대공약수 : ______

⑧
$36 = 2 \times 2 \times 3 \times 3$
$72 = 2 \times 2 \times 2 \times 3 \times 3$
최대공약수 : ______

⑨
$38 = 2 \times 19$
$56 = 2 \times 2 \times 2 \times 7$
최대공약수 : ______

⑩
$64 = 2 \times 2 \times 2 \times 2 \times 2 \times 2$
$28 = 2 \times 2 \times 7$
최대공약수 : ______

약수가 1과 자기 자신뿐인 수들의 곱으로 나타낸 것을 보고 최대공약수를 구하세요.

①
$6 = 2 \times 3$
$45 = 3 \times 3 \times 5$
최대공약수 : ______

②
$15 = 3 \times 5$
$90 = 2 \times 3 \times 3 \times 5$
최대공약수 : ______

③
$35 = 5 \times 7$
$49 = 7 \times 7$
최대공약수 : ______

④
$16 = 2 \times 2 \times 2 \times 2$
$28 = 2 \times 2 \times 7$
최대공약수 : ______

⑤
$6 = 2 \times 3$
$18 = 2 \times 3 \times 3$
최대공약수 : ______

⑥
$8 = 2 \times 2 \times 2$
$36 = 2 \times 2 \times 3 \times 3$
최대공약수 : ______

⑦
$15 = 3 \times 5$
$18 = 2 \times 3 \times 3$
최대공약수 : ______

⑧
$51 = 3 \times 17$
$9 = 3 \times 3$
최대공약수 : ______

⑨
$10 = 2 \times 5$
$14 = 2 \times 7$
최대공약수 : ______

⑩
$20 = 2 \times 2 \times 5$
$30 = 2 \times 3 \times 5$
최대공약수 : ______

두 수의 최대공약수를 써넣으세요.

① 2×5, $3 \times 3 \times 5$ ☐

② 2×3, $2 \times 3 \times 3$ ☐

③ 2×5, 2×7 ☐

④ 2×3, $3 \times 3 \times 3$ ☐

⑤ $2 \times 2 \times 2 \times 3$, $2 \times 2 \times 3 \times 3$ ☐

⑥ $2 \times 2 \times 5$, 3×5 ☐

⑦ 5×5, $2 \times 2 \times 5$ ☐

⑧ $2 \times 3 \times 3$, 2×5 ☐

⑨ 7×7, $2 \times 2 \times 7$ ☐

⑩ $2 \times 2 \times 2 \times 2$, $2 \times 2 \times 2 \times 5$ ☐

⑪ 2×3, $3 \times 3 \times 5$ ☐

⑫ 3×5, $2 \times 3 \times 5$ ☐

최대공약수와 공약수의 관계

월 일

두 수의 공약수는 최대공약수의 약수입니다. 따라서 공약수를 구할 때는 최대공약수를 먼저 구하고, 최대공약수의 약수를 구하는 것이 편리합니다.

24와 36의 공약수 구하기

① 24와 36의 최대공약수 구하기

```
2 ) 24  36
2 ) 12  18
3 )  6   9
     2   3
```

$2 \times 2 \times 3 = 12$

② 최대공약수의 약수 구하기

$12 = 1 \times 12$

$12 = 2 \times 6$

$12 = 3 \times 4$

24와 36의 공약수 : 1, 2, 3, 4, 6, 12

두 수의 최대공약수와 공약수를 차례로 구하세요.

① 6, 12

최대공약수 :

공약수 :

② 9, 15

최대공약수 :

공약수 :

③ 12, 16

최대공약수 :

공약수 :

④ 22, 33

최대공약수 :

공약수 :

⑤ 35, 45

최대공약수 :

공약수 :

⑥ 20, 30

최대공약수 :

공약수 :

두 수의 최대공약수와 공약수를 차례로 구하세요.

① 15, 12

최대공약수 :

공약수 :

② 36, 24

최대공약수 :

공약수 :

③ 16, 24

최대공약수 :

공약수 :

④ 40, 72

최대공약수 :

공약수 :

⑤ 30, 45

최대공약수 :

공약수 :

⑥ 21, 27

최대공약수 :

공약수 :

⑦ 21, 28

최대공약수 :

공약수 :

⑧ 42, 63

최대공약수 :

공약수 :

⑨ 30, 24

최대공약수 :

공약수 :

⑩ 42, 48

최대공약수 :

공약수 :

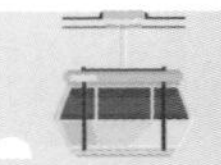

두 수의 공약수의 개수에 맞게 선을 이으세요. 단, 중복해서 선을 이어도 됩니다.

	• 1개
(8, 16) •	
	• 2개
(3, 4) •	
	• 3개
(32, 48) •	
	• 4개
(18, 27) •	
	• 5개

	• 1개
(4, 6) •	
	• 2개
(8, 20) •	
	• 3개
(14, 42) •	
	• 4개
(15, 25) •	
	• 5개

	• 2개
(2, 12) •	
	• 4개
(6, 30) •	
	• 6개
(9, 24) •	
	• 8개
(48, 72) •	
	• 10개

	• 2개
(30, 50) •	
	• 3개
(16, 20) •	
	• 4개
(6, 24) •	
	• 5개
(21, 35) •	
	• 6개

5주차

최소공배수 구하기

최소공배수를 구하는 두 가지 방법을 배우고 5일차에서 최소공배수와 공배수의 관계를 알아봅니다. 최대공약수와 같이 최소공배수도 분수 계산 등에서 많이 활용되므로 언제든지 정확하게 구할 수 있도록 연습합니다.

함께 나누어 구하기

공부한 날 월 일

동영상 해설

두 수를 동시에 나누어서 최소공배수를 구할 수 있습니다. 이때 두 수의 최대공약수가 1이 될 때까지 나누는 것은 최대공약수를 구할 때와 같습니다.

```
2 ) 12  18
3 )  6   9
     2   3
```

12와 18의 최소공배수 : $2 \times 3 \times 2 \times 3 = 36$

최소공배수는 최대공약수를 구하는 식에 마지막 나눈 몫을 모두 곱합니다.

두 수를 동시에 나누어서 최소공배수를 구하세요.

```
2 ) 10  30
5 )  5  15
     1   3
```

최소공배수 : $2 \times 5 \times 1 \times 3 = 30$

```
) 9  21
```

최소공배수 :

```
) 8  22
```

최소공배수 :

```
) 16  10
```

최소공배수 :

두 수를 동시에 나누어서 최소공배수를 구하세요.

문제	최소공배수
) 9 27	최소공배수 :
) 9 24	최소공배수 :
) 27 36	최소공배수 :
) 20 45	최소공배수 :
) 15 24	최소공배수 :
) 12 40	최소공배수 :
) 56 24	최소공배수 :
) 15 40	최소공배수 :

두 수를 동시에 나누어서 최소공배수를 구하세요.

$\big)\ 16\quad 24$ 최소공배수 :

$\big)\ 42\quad 49$ 최소공배수 :

$\big)\ 24\quad 36$ 최소공배수 :

$\big)\ 30\quad 42$ 최소공배수 :

$\big)\ 33\quad 44$ 최소공배수 :

$\big)\ 18\quad 30$ 최소공배수 :

$\big)\ 42\quad 36$ 최소공배수 :

$\big)\ 95\quad 45$ 최소공배수 :

함께 나누어 구하기 연습

월 일

두 수를 동시에 나누어서 최소공배수를 구하세요.

) 64 84 최소공배수 : ______

) 45 30 최소공배수 : ______

) 70 35 최소공배수 : ______

) 42 54 최소공배수 : ______

) 26 91 최소공배수 : ______

) 10 45 최소공배수 : ______

) 18 10 최소공배수 : ______

) 49 28 최소공배수 : ______

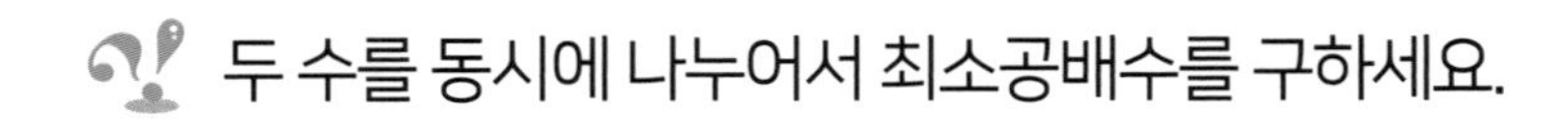

두 수를 동시에 나누어서 최소공배수를 구하세요.

) 27 63 최소공배수 : ______

) 20 32 최소공배수 : ______

) 35 40 최소공배수 : ______

) 27 45 최소공배수 : ______

) 60 24 최소공배수 : ______

) 24 40 최소공배수 : ______

) 30 27 최소공배수 : ______

) 25 45 최소공배수 : ______

Tip 두 수의 최대공약수를 암산으로 찾을 수 있다면 두 수를 최대공약수로 동시에 나누어서 최소공배수를 구할 수 있습니다.

두 수의 최소공배수를 잘못 구한 것에 ╱표를 하고 올바르게 고치세요.

두 수	최소공배수	두 수	최소공배수
16, 24	~~36~~ 48	14, 28	56
18, 30	90	4, 9	36
9, 63	63	4, 14	28
8, 9	72	32, 48	192
30, 45	180	12, 17	144
11, 88	66	18, 72	72
11, 22	33	64, 72	288

작은 수들의 곱으로 구하기

공부한 날 월 일

약수가 1과 자기 자신뿐인 수들의 곱으로 나타낸 식을 보고 최소공배수를 구할 수 있습니다.

$16 = 2 \times 2 \times 2 \times 2$

$20 = 2 \times 2 \times 5$

최소공배수는 두 수에 공통으로 곱해진 수를 한 번씩 곱하고 나머지 수를 모두 곱합니다.

16과 20의 최소공배수 : $2 \times 2 \times 2 \times 2 \times 5 = 80$

약수가 1과 자기 자신뿐인 수들의 곱으로 나타낸 것을 보고 최소공배수를 구하세요.

$10 = 2 \times 5$

$15 = 3 \times 5$

최소공배수 : $2 \times 3 \times 5 = 30$

①

$12 = 2 \times 2 \times 3$

$42 = 2 \times 3 \times 7$

최소공배수 : ______

②

$9 = 3 \times 3$

$51 = 3 \times 17$

최소공배수 : ______

③

$12 = 2 \times 2 \times 3$

$9 = 3 \times 3$

최소공배수 : ______

④

$21 = 3 \times 7$

$18 = 2 \times 3 \times 3$

최소공배수 : ______

⑤

$15 = 3 \times 5$

$25 = 5 \times 5$

최소공배수 : ______

약수가 1과 자기 자신뿐인 수들의 곱으로 나타낸 것을 보고 최소공배수를 구하세요.

①

$16 = 2 \times 2 \times 2 \times 2$

$28 = 2 \times 2 \times 7$

최소공배수 : ____________

②

$6 = 2 \times 3$

$18 = 2 \times 3 \times 3$

최소공배수 : ____________

③

$18 = 2 \times 3 \times 3$

$8 = 2 \times 2 \times 2$

최소공배수 : ____________

④

$18 = 2 \times 3 \times 3$

$12 = 2 \times 2 \times 3$

최소공배수 : ____________

⑤

$20 = 2 \times 2 \times 5$

$25 = 5 \times 5$

최소공배수 : ____________

⑥

$8 = 2 \times 2 \times 2$

$36 = 2 \times 2 \times 3 \times 3$

최소공배수 : ____________

⑦

$10 = 2 \times 5$

$14 = 2 \times 7$

최소공배수 : ____________

⑧

$15 = 3 \times 5$

$90 = 2 \times 3 \times 3 \times 5$

최소공배수 : ____________

⑨

$8 = 2 \times 2 \times 2$

$20 = 2 \times 2 \times 5$

최소공배수 : ____________

⑩

$6 = 2 \times 3$

$45 = 3 \times 3 \times 5$

최소공배수 : ____________

약수가 1과 자기 자신뿐인 수들의 곱으로 나타낸 것을 보고 최소공배수를 구하세요.

①

$9 = 3 \times 3$

$15 = 3 \times 5$

최소공배수 : ____________

②

$28 = 2 \times 2 \times 7$

$35 = 5 \times 7$

최소공배수 : ____________

③

$12 = 2 \times 2 \times 3$

$16 = 2 \times 2 \times 2 \times 2$

최소공배수 : ____________

④

$15 = 3 \times 5$

$45 = 3 \times 3 \times 5$

최소공배수 : ____________

⑤

$35 = 5 \times 7$

$21 = 3 \times 7$

최소공배수 : ____________

⑥

$21 = 3 \times 7$

$28 = 2 \times 2 \times 7$

최소공배수 : ____________

⑦

$16 = 2 \times 2 \times 2 \times 2$

$20 = 2 \times 2 \times 5$

최소공배수 : ____________

⑧

$42 = 2 \times 3 \times 7$

$18 = 2 \times 3 \times 3$

최소공배수 : ____________

⑨

$6 = 2 \times 3$

$27 = 3 \times 3 \times 3$

최소공배수 : ____________

⑩

$18 = 2 \times 3 \times 3$

$27 = 3 \times 3 \times 3$

최소공배수 : ____________

4일 작은 수들의 곱으로 구하기 연습

공부한 날 월 일

약수가 1과 자기 자신뿐인 수들의 곱으로 나타낸 것을 보고 최소공배수를 구하세요.

①
$45 = 3 \times 3 \times 5$

$20 = 2 \times 2 \times 5$

최소공배수 : ______

②
$18 = 2 \times 3 \times 3$

$24 = 2 \times 2 \times 2 \times 3$

최소공배수 : ______

③
$54 = 2 \times 3 \times 3 \times 3$

$18 = 2 \times 3 \times 3$

최소공배수 : ______

④
$36 = 2 \times 2 \times 3 \times 3$

$24 = 2 \times 2 \times 2 \times 3$

최소공배수 : ______

⑤
$35 = 5 \times 7$

$49 = 7 \times 7$

최소공배수 : ______

⑥
$15 = 3 \times 5$

$18 = 2 \times 3 \times 3$

최소공배수 : ______

⑦
$20 = 2 \times 2 \times 5$

$30 = 2 \times 3 \times 5$

최소공배수 : ______

⑧
$36 = 2 \times 2 \times 3 \times 3$

$72 = 2 \times 2 \times 2 \times 3 \times 3$

최소공배수 : ______

⑨
$18 = 2 \times 3 \times 3$

$14 = 2 \times 7$

최소공배수 : ______

⑩
$30 = 2 \times 3 \times 5$

$9 = 3 \times 3$

최소공배수 : ______

약수가 1과 자기 자신뿐인 수들의 곱으로 나타낸 것을 보고 최소공배수를 구하세요.

①

$38 = 2 \times 19$

$56 = 2 \times 2 \times 2 \times 7$

최소공배수 : ______

②

$27 = 3 \times 3 \times 3$

$9 = 3 \times 3$

최소공배수 : ______

③

$24 = 2 \times 2 \times 2 \times 3$

$12 = 2 \times 2 \times 3$

최소공배수 : ______

④

$8 = 2 \times 2 \times 2$

$12 = 2 \times 2 \times 3$

최소공배수 : ______

⑤

$26 = 2 \times 13$

$6 = 2 \times 3$

최소공배수 : ______

⑥

$16 = 2 \times 2 \times 2 \times 2$

$48 = 2 \times 2 \times 2 \times 2 \times 3$

최소공배수 : ______

⑦

$28 = 2 \times 2 \times 7$

$64 = 2 \times 2 \times 2 \times 2 \times 2 \times 2$

최소공배수 : ______

⑧

$14 = 2 \times 7$

$35 = 5 \times 7$

최소공배수 : ______

⑨

$9 = 3 \times 3$

$8 = 2 \times 2 \times 2$

최소공배수 : ______

⑩

$15 = 3 \times 5$

$50 = 2 \times 5 \times 5$

최소공배수 : ______

두 수의 최소공배수를 써넣으세요.

①
$2 \times 2 \times 2 \times 3$
$2 \times 2 \times 3 \times 3$

②
$2 \times 2 \times 5$
3×5

③
2×3
$3 \times 3 \times 3$

④
2×5
2×7

⑤
$2 \times 3 \times 3$
2×5

⑥
$3 \times 3 \times 5$
2×5

⑦
2×3
$2 \times 3 \times 3$

⑧
5×5
$2 \times 2 \times 5$

⑨
2×3
$3 \times 3 \times 5$

⑩
7×7
$2 \times 2 \times 7$

⑪
$2 \times 2 \times 2 \times 2$
$2 \times 2 \times 2 \times 5$

⑫
3×5
$2 \times 3 \times 5$

5일 최소공배수와 공배수의 관계

월 일

두 수의 공배수는 최소공배수의 배수입니다. 따라서 공배수를 구할 때는 최소공배수를 먼저 구하고, 최소공배수의 배수를 구하는 것이 편리합니다.

24와 36의 공배수 구하기

① 24와 36의 최소공배수 구하기

$$\begin{array}{r|rr} 2 & 24 & 36 \\ \hline 2 & 12 & 18 \\ \hline 3 & 6 & 9 \\ \hline & 2 & 3 \end{array}$$

$2 \times 2 \times 3 \times 2 \times 3$
$= 72$

② 최소공배수의 배수 구하기

$72 \times 1 = 72$
$72 \times 2 = 144$
$72 \times 3 = 216$

24와 36의 공배수 : 72, 144, 216, ……

두 수의 최소공배수와 공배수를 차례로 구하세요. 단, 공배수는 가장 작은 수부터 크기 순서대로 3개를 씁니다.

① 12, 8

최소공배수 :

공배수 :

② 25, 40

최소공배수 :

공배수 :

③ 18, 27

최소공배수 :

공배수 :

④ 22, 44

최소공배수 :

공배수 :

⑤ 48, 64

최소공배수 :

공배수 :

⑥ 20, 36

최소공배수 :

공배수 :

두 수의 최소공배수와 공배수를 차례로 구하세요. 단, 공배수는 가장 작은 수부터 크기 순서대로 3개를 씁니다.

① 16, 32

최소공배수 :

공배수 :

② 28, 42

최소공배수 :

공배수 :

③ 8, 30

최소공배수 :

공배수 :

④ 33, 66

최소공배수 :

공배수 :

⑤ 12, 27

최소공배수 :

공배수 :

⑥ 36, 81

최소공배수 :

공배수 :

⑦ 30, 15

최소공배수 :

공배수 :

⑧ 56, 60

최소공배수 :

공배수 :

⑨ 40, 48

최소공배수 :

공배수 :

⑩ 64, 72

최소공배수 :

공배수 :

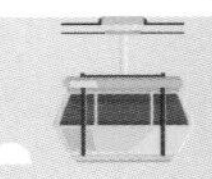

두 수의 공배수 중 300에 가장 가까운 수를 구하세요.

① 16, 10

② 18, 58

③ 8, 22

④ 27, 36

⑤ 33, 22

⑥ 9, 39

⑦ 48, 57

⑧ 12, 32

⑨ 42, 56

⑩ 24, 18

6주차

도전! 계산왕

최대공약수와 최소공배수 구하기

공부한 날	월 일
점수	/12

□에 두 수의 최대공약수와 최소공배수를 써넣으세요.

① 최대공약수 최소공배수

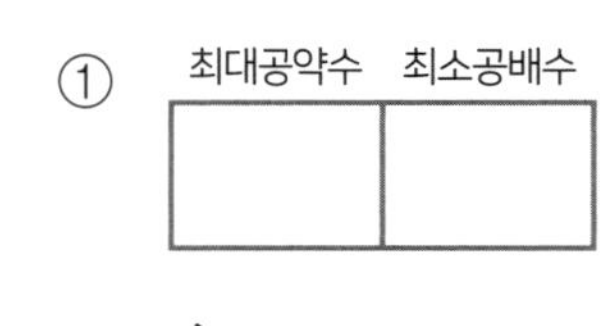

) 10 12

② 최대공약수 최소공배수

) 35 42

③ 최대공약수 최소공배수

) 40 20

④ 최대공약수 최소공배수

) 30 54

⑤ 최대공약수 최소공배수

) 54 27

⑥ 최대공약수 최소공배수

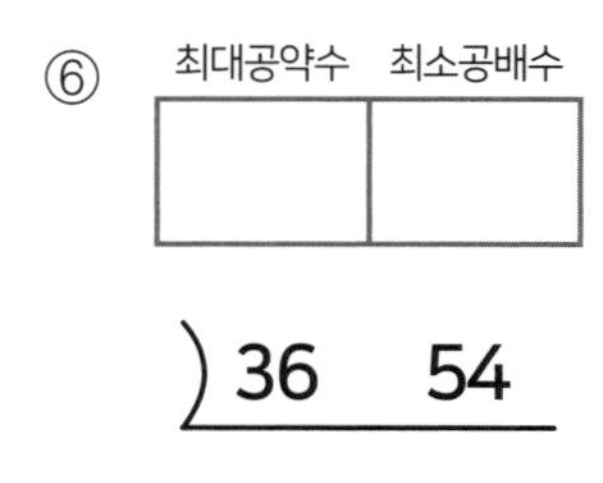

) 36 54

⑦ 최대공약수 최소공배수

$55 = 5 \times 11$
$22 = 2 \times 11$

⑧ 최대공약수 최소공배수

$20 = 2 \times 2 \times 5$
$25 = 5 \times 5$

⑨ 최대공약수 최소공배수

$8 = 2 \times 2 \times 2$
$20 = 2 \times 2 \times 5$

⑩ 최대공약수 최소공배수

$50 = 2 \times 5 \times 5$
$60 = 2 \times 2 \times 3 \times 5$

⑪ 최대공약수 최소공배수

$18 = 2 \times 3 \times 3$
$24 = 2 \times 2 \times 2 \times 3$

⑫ 최대공약수 최소공배수

$18 = 2 \times 3 \times 3$
$36 = 2 \times 2 \times 3 \times 3$

최대공약수와 최소공배수 구하기

공부한 날	월 일
점수	/12

□에 두 수의 최대공약수와 최소공배수를 써넣으세요.

①
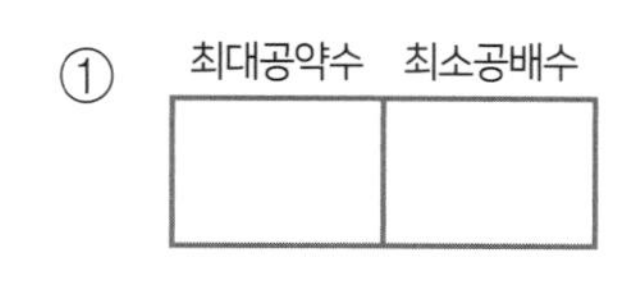

최대공약수	최소공배수

) 36 18

②

최대공약수	최소공배수

) 48 24

③

최대공약수	최소공배수

) 4 10

④

최대공약수	최소공배수

) 12 6

⑤

최대공약수	최소공배수

) 12 8

⑥

최대공약수	최소공배수

) 40 16

⑦

최대공약수	최소공배수

$30 = 2 \times 3 \times 5$
$40 = 2 \times 2 \times 2 \times 5$

⑧

최대공약수	최소공배수

$66 = 2 \times 3 \times 11$
$22 = 2 \times 11$

⑨

최대공약수	최소공배수

$9 = 3 \times 3$
$12 = 2 \times 2 \times 3$

⑩

최대공약수	최소공배수

$24 = 2 \times 2 \times 2 \times 3$
$32 = 2 \times 2 \times 2 \times 2 \times 2$

⑪

최대공약수	최소공배수

$20 = 2 \times 2 \times 5$
$30 = 2 \times 3 \times 5$

⑫

최대공약수	최소공배수

$21 = 3 \times 7$
$14 = 2 \times 7$

최대공약수와 최소공배수 구하기

공부한 날 월 일
점수 /12

□에 두 수의 최대공약수와 최소공배수를 써넣으세요.

① 최대공약수 최소공배수

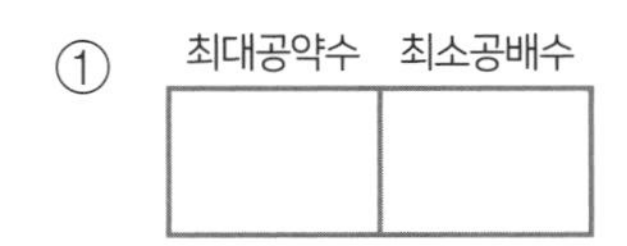

) 14 42

② 최대공약수 최소공배수

) 25 20

③ 최대공약수 최소공배수

) 12 8

④ 최대공약수 최소공배수

) 18 9

⑤ 최대공약수 최소공배수

) 12 9

⑥ 최대공약수 최소공배수

) 12 15

⑦ 최대공약수 최소공배수

$10 = 2 \times 5$
$20 = 2 \times 2 \times 5$

⑧ 최대공약수 최소공배수

$60 = 2 \times 2 \times 3 \times 5$
$70 = 2 \times 5 \times 7$

⑨ 최대공약수 최소공배수

$18 = 2 \times 3 \times 3$
$15 = 3 \times 5$

⑩ 최대공약수 최소공배수

$25 = 5 \times 5$
$30 = 2 \times 3 \times 5$

⑪ 최대공약수 최소공배수

$39 = 3 \times 13$
$52 = 2 \times 2 \times 13$

⑫ 최대공약수 최소공배수

$42 = 2 \times 3 \times 7$
$28 = 2 \times 2 \times 7$

최대공약수와 최소공배수 구하기

공부한 날 월 일
점수 /12

□에 두 수의 최대공약수와 최소공배수를 써넣으세요.

① 최대공약수 최소공배수

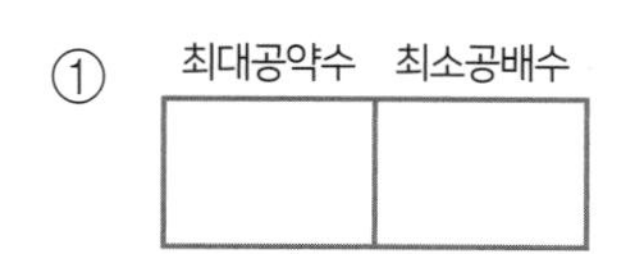

) 18 36

② 최대공약수 최소공배수

) 32 16

③ 최대공약수 최소공배수

) 20 60

④ 최대공약수 최소공배수

) 48 24

⑤ 최대공약수 최소공배수

) 21 28

⑥ 최대공약수 최소공배수

) 36 54

⑦ 최대공약수 최소공배수

$20 = 2 \times 2 \times 5$
$16 = 2 \times 2 \times 2 \times 2$

⑧ 최대공약수 최소공배수

$16 = 2 \times 2 \times 2 \times 2$
$24 = 2 \times 2 \times 2 \times 3$

⑨ 최대공약수 최소공배수

$21 = 3 \times 7$
$35 = 5 \times 7$

⑩ 최대공약수 최소공배수

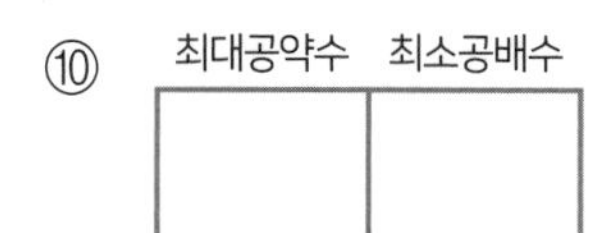

$44 = 2 \times 2 \times 11$
$55 = 5 \times 11$

⑪ 최대공약수 최소공배수

$6 = 2 \times 3$
$8 = 2 \times 2 \times 2$

⑫ 최대공약수 최소공배수

$36 = 2 \times 2 \times 3 \times 3$
$18 = 2 \times 3 \times 3$

최대공약수와 최소공배수 구하기

공부한 날 월 일
점수 /12

□에 두 수의 최대공약수와 최소공배수를 써넣으세요.

① 최대공약수 최소공배수

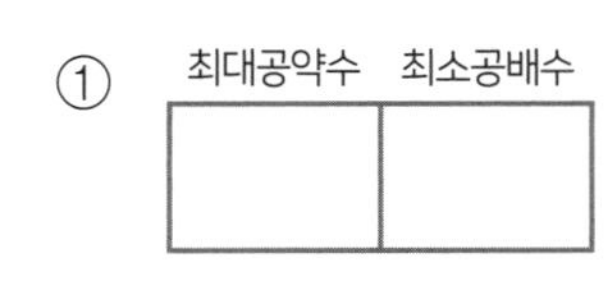

) 24 48

② 최대공약수 최소공배수

) 27 54

③ 최대공약수 최소공배수

) 24 32

④ 최대공약수 최소공배수

) 36 45

⑤ 최대공약수 최소공배수

) 60 50

⑥ 최대공약수 최소공배수

) 40 60

⑦ 최대공약수 최소공배수

$15 = 3 \times 5$
$25 = 5 \times 5$

⑧ 최대공약수 최소공배수

$50 = 2 \times 5 \times 5$
$40 = 2 \times 2 \times 2 \times 5$

⑨ 최대공약수 최소공배수

$27 = 3 \times 3 \times 3$
$54 = 2 \times 3 \times 3 \times 3$

⑩ 최대공약수 최소공배수

$36 = 2 \times 2 \times 3 \times 3$
$25 = 5 \times 5$

⑪ 최대공약수 최소공배수

$45 = 3 \times 3 \times 5$
$63 = 3 \times 3 \times 7$

⑫ 최대공약수 최소공배수

$8 = 2 \times 2 \times 2$
$24 = 2 \times 2 \times 2 \times 3$

최대공약수와 최소공배수 구하기

공부한 날 월 일
점수 /12

□에 두 수의 최대공약수와 최소공배수를 써넣으세요.

① 최대공약수 □ 최소공배수 □

) 12 24

② 최대공약수 □ 최소공배수 □

) 4 12

③ 최대공약수 □ 최소공배수 □

) 35 42

④ 최대공약수 □ 최소공배수 □

) 8 12

⑤ 최대공약수 □ 최소공배수 □

) 55 66

⑥ 최대공약수 □ 최소공배수 □

) 10 12

⑦ 최대공약수 □ 최소공배수 □

$9 = 3 \times 3$
$6 = 2 \times 3$

⑧ 최대공약수 □ 최소공배수 □

$40 = 2 \times 2 \times 2 \times 5$
$32 = 2 \times 2 \times 2 \times 2 \times 2$

⑨ 최대공약수 □ 최소공배수 □

$30 = 2 \times 3 \times 5$
$50 = 2 \times 5 \times 5$

⑩ 최대공약수 □ 최소공배수 □

$16 = 2 \times 2 \times 2 \times 2$
$20 = 2 \times 2 \times 5$

⑪ 최대공약수 □ 최소공배수 □

$48 = 2 \times 2 \times 2 \times 2 \times 3$
$16 = 2 \times 2 \times 2 \times 2$

⑫ 최대공약수 □ 최소공배수 □

$24 = 2 \times 2 \times 2 \times 3$
$18 = 2 \times 3 \times 3$

최대공약수와 최소공배수 구하기

공부한 날	월 일
점수	/12

□에 두 수의 최대공약수와 최소공배수를 써넣으세요.

① 최대공약수 최소공배수

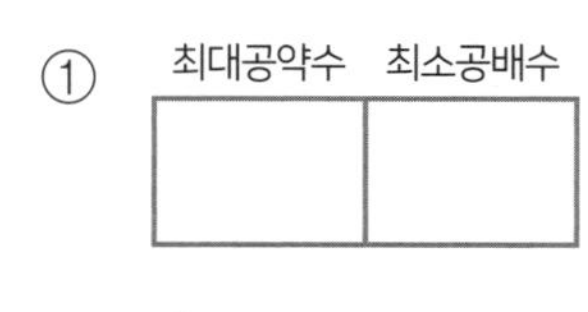

) 44 33

② 최대공약수 최소공배수

) 18 27

③ 최대공약수 최소공배수

) 32 40

④ 최대공약수 최소공배수

) 8 10

⑤ 최대공약수 최소공배수

) 20 12

⑥ 최대공약수 최소공배수

) 27 45

⑦ 최대공약수 최소공배수

$12 = 2 \times 2 \times 3$
$16 = 2 \times 2 \times 2 \times 2$

⑧ 최대공약수 최소공배수

$24 = 2 \times 2 \times 2 \times 3$
$32 = 2 \times 2 \times 2 \times 2 \times 2$

⑨ 최대공약수 최소공배수

$42 = 2 \times 3 \times 7$
$14 = 2 \times 7$

⑩ 최대공약수 최소공배수

$66 = 2 \times 3 \times 11$
$33 = 3 \times 11$

⑪ 최대공약수 최소공배수

$12 = 2 \times 2 \times 3$
$18 = 2 \times 3 \times 3$

⑫ 최대공약수 최소공배수

$54 = 2 \times 3 \times 3 \times 3$
$36 = 2 \times 2 \times 3 \times 3$

최대공약수와 최소공배수 구하기

공부한 날 월 일
점수 /12

□에 두 수의 최대공약수와 최소공배수를 써넣으세요.

① 최대공약수 최소공배수

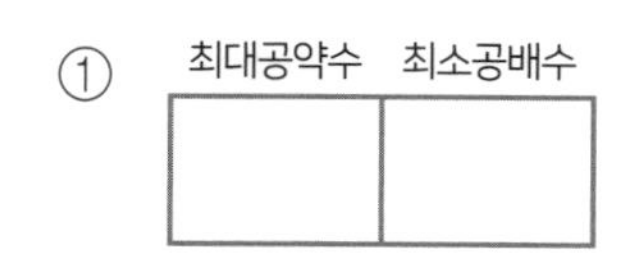

) 36 42

② 최대공약수 최소공배수

) 50 30

③ 최대공약수 최소공배수

) 8 20

④ 최대공약수 최소공배수

) 15 25

⑤ 최대공약수 최소공배수

) 6 9

⑥ 최대공약수 최소공배수

) 33 22

⑦ 최대공약수 최소공배수

$44 = 2 \times 2 \times 11$
$55 = 5 \times 11$

⑧ 최대공약수 최소공배수

$8 = 2 \times 2 \times 2$
$24 = 2 \times 2 \times 2 \times 3$

⑨ 최대공약수 최소공배수

$18 = 2 \times 3 \times 3$
$27 = 3 \times 3 \times 3$

⑩ 최대공약수 최소공배수

$24 = 2 \times 2 \times 2 \times 3$
$16 = 2 \times 2 \times 2 \times 2$

⑪ 최대공약수 최소공배수

$36 = 2 \times 2 \times 3 \times 3$
$18 = 2 \times 3 \times 3$

⑫ 최대공약수 최소공배수

$9 = 3 \times 3$
$12 = 2 \times 2 \times 3$

최대공약수와 최소공배수 구하기

공부한 날	월 일
점수	/12

□에 두 수의 최대공약수와 최소공배수를 써넣으세요.

① 최대공약수 최소공배수

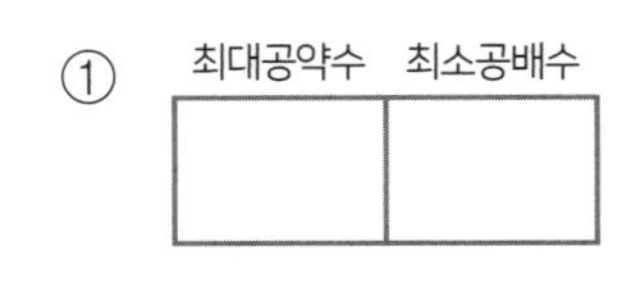

) 15 25

② 최대공약수 최소공배수

) 16 12

③ 최대공약수 최소공배수

) 30 35

④ 최대공약수 최소공배수

) 15 20

⑤ 최대공약수 최소공배수

) 8 24

⑥ 최대공약수 최소공배수

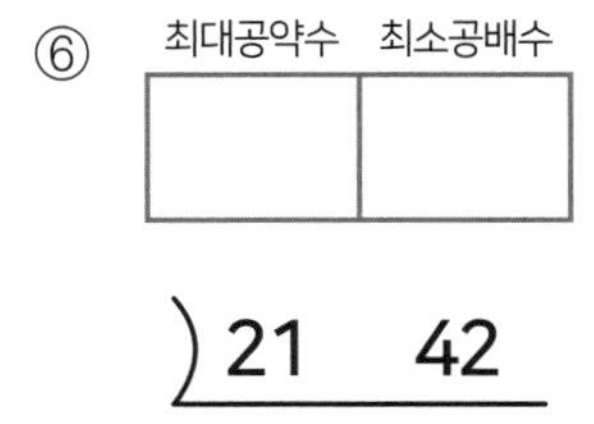

) 21 42

⑦ 최대공약수 최소공배수

$6 = 2 \times 3$
$18 = 2 \times 3 \times 3$

⑧ 최대공약수 최소공배수

$56 = 2 \times 2 \times 2 \times 7$
$63 = 3 \times 3 \times 7$

⑨ 최대공약수 최소공배수

$40 = 2 \times 2 \times 2 \times 5$
$50 = 2 \times 5 \times 5$

⑩ 최대공약수 최소공배수

$20 = 2 \times 2 \times 5$
$60 = 2 \times 2 \times 3 \times 5$

⑪ 최대공약수 최소공배수

$6 = 2 \times 3$
$15 = 3 \times 5$

⑫ 최대공약수 최소공배수

$48 = 2 \times 2 \times 2 \times 2 \times 3$
$32 = 2 \times 2 \times 2 \times 2 \times 2$

최대공약수와 최소공배수 구하기

공부한 날	월 일
점수	/12

□에 두 수의 최대공약수와 최소공배수를 써넣으세요.

① 최대공약수 □ 최소공배수 □

) 36 24

② 최대공약수 □ 최소공배수 □

) 42 28

③ 최대공약수 □ 최소공배수 □

) 44 33

④ 최대공약수 □ 최소공배수 □

) 20 25

⑤ 최대공약수 □ 최소공배수 □

) 27 36

⑥ 최대공약수 □ 최소공배수 □

) 55 33

⑦ 최대공약수 □ 최소공배수 □

$14 = 2 \times 7$
$42 = 2 \times 3 \times 7$

⑧ 최대공약수 □ 최소공배수 □

$10 = 2 \times 5$
$12 = 2 \times 2 \times 3$

⑨ 최대공약수 □ 최소공배수 □

$24 = 2 \times 2 \times 2 \times 3$
$18 = 2 \times 3 \times 3$

⑩ 최대공약수 □ 최소공배수 □

$12 = 2 \times 2 \times 3$
$20 = 2 \times 2 \times 5$

⑪ 최대공약수 □ 최소공배수 □

$14 = 2 \times 7$
$28 = 2 \times 2 \times 7$

⑫ 최대공약수 □ 최소공배수 □

$6 = 2 \times 3$
$15 = 3 \times 5$

MEMO

총괄 테스트

이름 점수

01 다음과 같이 곱셈을 이용하여 약수를 모두 구하세요.

6의 약수 1×6, 2×3 ➡ 1, 2, 3, 6

① 49의 약수 ________ ➡ ________

② 27의 약수 ________ ➡ ________

02 세 수 중에서 약수와 배수의 관계인 두 수를 찾아 모두 ○표 하세요.

72	34	6

45	7	9

17	84	7

55	13	5

03 약수를 모두 구하세요.

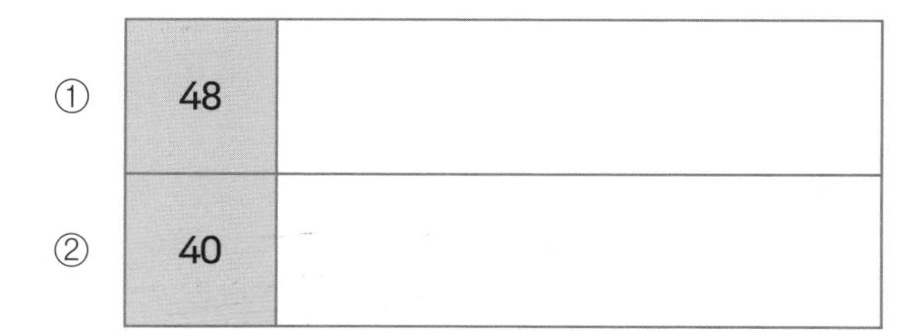

①	48	
②	40	

04 빈 곳에 두 수의 공약수를 모두 써넣으세요.

①

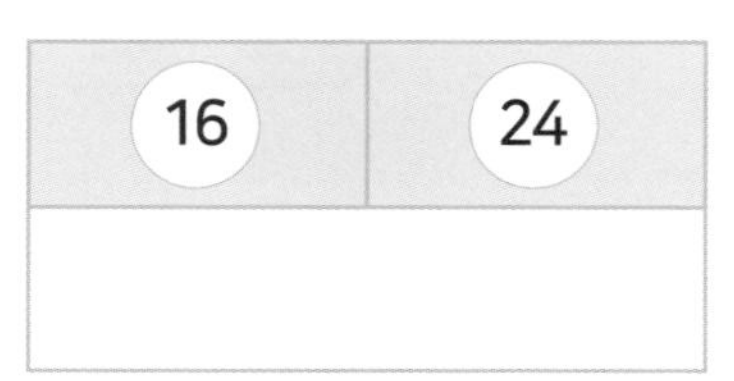

16	24

②

50	125

05 공약수가 두 수 중 작은 수의 약수와 같은 것에 모두 ○표 하세요.

30	18

8	48

9	15

18	27

3	36

30	9

06 ◇ 안에는 두 수의 최대공약수를, ○ 안에는 두 수의 최소공배수를 각각 써넣으세요.

① ◇ 16, 24 ○

② ◇ 9, 18 ○

07 두 수를 동시에 나누어서 최대공약수를 구하세요.

) 18 27 최대공약수 : ________

) 36 40 최대공약수 : ________

08 두 수를 동시에 나누어서 최소공배수를 구하세요.

) 35 25 최소공배수 : ________

) 24 44 최소공배수 : ________

09 빈 곳에 두 수의 최대공약수와 최소공배수를 써넣으세요.

①

최대공약수	최소공배수

) 20 48

②

최대공약수	최소공배수

) 18 12

10 □에는 두 수의 최대공약수를, ○에는 두 수의 최소공배수를 써넣으세요.

①

		□	○
48	8		
9	45		
56	49		
25	30		

②

		□	○
60	48		
20	25		
33	22		
40	20		

11 다음과 같이 곱셈을 이용하여 약수를 모두 구하세요.

8의 약수 1×8, 2×4 ➡ 1, 2, 4, 8

① 21의 약수 ________ ➡ ________

② 10의 약수 ________ ➡ ________

12 세 수 중에서 약수와 배수의 관계인 두 수를 찾아 모두 ◯표 하세요.

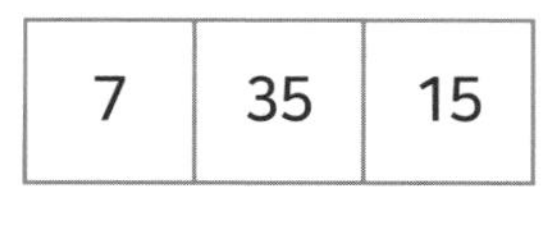

7	35	15

9	15	81

36	12	20

12	8	16

13 약수를 모두 구하세요.

①	64	
②	36	

14 빈 곳에 두 수의 공약수를 모두 써넣으세요.

①

40	36

②

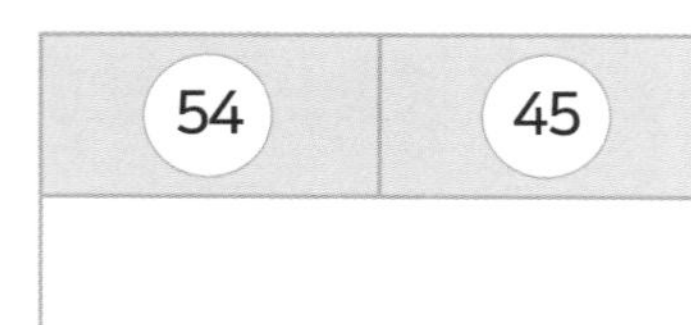

54	45

15 공약수가 두 수 중 작은 수의 약수와 같은 것에 모두 ◯표 하세요.

15	21

36	18

25	50

99	55

42	14

8	58

16 ◇ 안에는 두 수의 최대공약수를, ◯ 안에는 두 수의 최소공배수를 각각 써넣으세요.

① ◇ 20, 12 ◯

② ◇ 15, 9 ◯

17 두 수를 동시에 나누어서 최대공약수를 구하세요.

$\overline{)18\ \ 30}$ 최대공약수 : ________

$\overline{)28\ \ 42}$ 최대공약수 : ________

18 두 수를 동시에 나누어서 최소공배수를 구하세요.

$\overline{)35\ \ 21}$ 최소공배수 : ________

$\overline{)45\ \ 60}$ 최소공배수 : ________

19 빈 곳에 두 수의 최대공약수와 최소공배수를 써넣으세요.

①

최대공약수	최소공배수

$\overline{)50\ \ \ 30}$

②

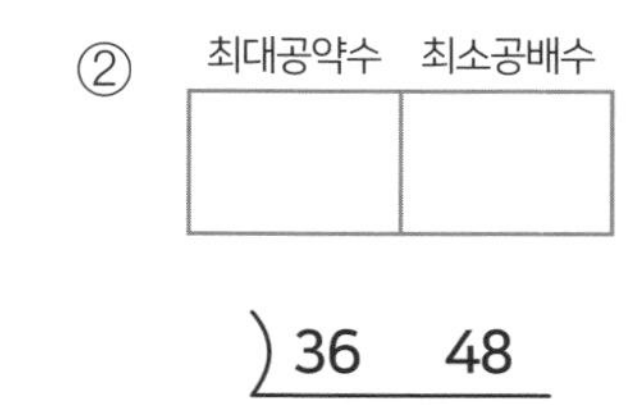

최대공약수	최소공배수

$\overline{)36\ \ \ 48}$

20 □에는 두 수의 최대공약수를, ◯에는 두 수의 최소공배수를 써넣으세요.

①

		□	◯
50	25		
20	12		
35	20		
22	6		

②

		□	◯
7	6		
30	40		
22	55		
21	9		

원리셈

천종현 지음

5학년 2

약수와 배수

천종현수학연구소

10쪽

① 1, 2
4, 8
1, 2, 4, 8

② 1, 3
5, 15
1, 3, 5, 15

③ 1, 2
3, 4
6, 12
1, 2, 3, 4, 6, 12

④ 1, 2
3, 6
9, 18
1, 2, 3, 6, 9, 18

11쪽

①		1, 2, 4, 8
②	1×6, 2×3	1, 2, 3, 6
③	1×9, 3×3	1, 3, 9
④	1×12, 2×6, 3×4	1, 2, 3, 4, 6, 12
⑤	1×15, 3×5	1, 3, 5, 15
⑥	1×18, 2×9, 3×6	1, 2, 3, 6, 9, 18
⑦	1×21, 3×7	1, 3, 7, 21
⑧	1×25, 5×5	1, 5, 25

12쪽

4: (1) (2) 3 (4) 6 8

6: (1) (2) (3) 4 5 (6)

9: (1) 2 (3) 6 (9) 12

13: (1) 3 7 9 (13) 26

18: (1) (2) (3) 4 8 (9)

27: 2 (3) 5 (9) 17 (27)

36: (1) (2) (4) 8 (12) (18)

45: (3) (5) 7 (9) (45) 90

51: 2 5 7 (17) (51) 69

63: 2 (3) (7) (9) (21) (63)

13쪽

①	1, 17	○
②	1, 3, 7, 21	×
③	1, 29	○
④	1, 3, 11, 33	×
⑤	1, 7, 49	×

14쪽

①	1, 3, 17, 51	×
②	1, 2, 4, 7, 8, 14, 28, 56	×
③	1, 61	○
④	1, 5, 13, 65	×
⑤	1, 7, 11, 77	×
⑥	1, 79	○
⑦	1, 3, 9, 27, 81	×
⑧	1, 89	○
⑨	1, 7, 13, 91	×

15쪽

12	28	(2)	33	21	(3)	8	(37)	→	3개
6	(23)	62	70	(67)	75	(97)	66	→	3개
50	(53)	55	18	(17)	96	27	(11)	→	3개
35	(29)	69	(83)	85	(41)	80	24	→	3개
(71)	25	(5)	74	(73)	51	32	(47)	→	4개
(13)	30	9	15	(59)	77	4	58	→	2개
26	(89)	(31)	63	(79)	36	(7)	64	→	4개
52	(43)	22	(19)	65	(61)	49	10	→	3개

16쪽

① 3, 6, 9, 12, 15

② 4, 8, 12, 16, 20

③ 6, 12, 18, 24, 30

④ 8, 16, 24, 32, 40

⑤ 10, 20, 30, 40, 50

17쪽

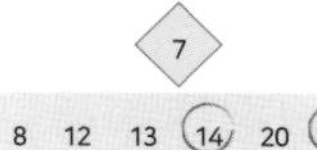

7: 8 12 13 (14) 20 (21)

9: 3 (9) 16 (27) 32 (36)

11: 7 (11) 24 32 (44) (77)

15: 5 (15) 25 (30) (75) 95

18: 1 6 (36) 48 (72) (90)

24: 12 (24) 32 40 (48) (72)

36: 2 6 18 62 (72) (180)

40: 20 (40) 60 (80) 100 (160)

55: 11 33 (55) (110) (165) (220)

61: 31 (61) (122) 182 (183) 242

18쪽

① 28 ② 40 ③ 42 ④ 66 ⑤ 64

⑥ 84 ⑦ 80 ⑧ 90 ⑨ 95 ⑩ 72 ⑪ 105

19쪽

① 9 ② 8 ③ 6 ④ 7 ⑤ 7 ⑥ 6

⑦ 5 ⑧ 5 ⑨ 6 ⑩ 6

20쪽

① 17, 5, 12

② 14, 5, 9

③ 12, 6, 6

④ 9, 4, 5

⑤ 8, 3, 5

21쪽

① 14 ② 11
③ 11 ④ 8
⑤ 6 ⑥ 5
⑦ 23 ⑧ 8
⑨ 39 ⑩ 5

22쪽

① 배수 약수
② 약수 배수
③ 약수 배수
④ 배수 배수
⑤ 약수 약수
⑥ 배수 약수
⑦ 약수 배수
⑧ 약수 배수

23쪽

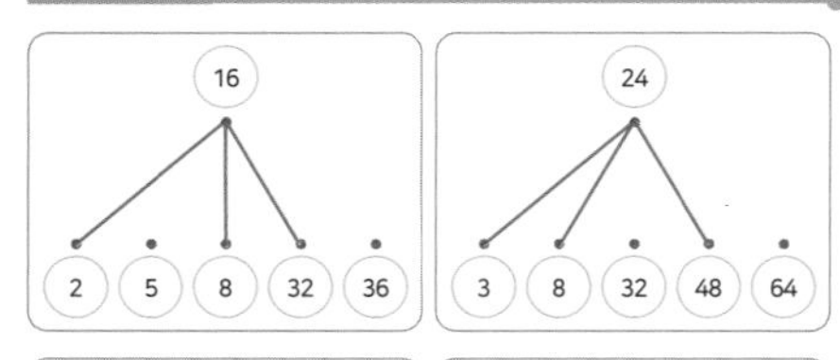

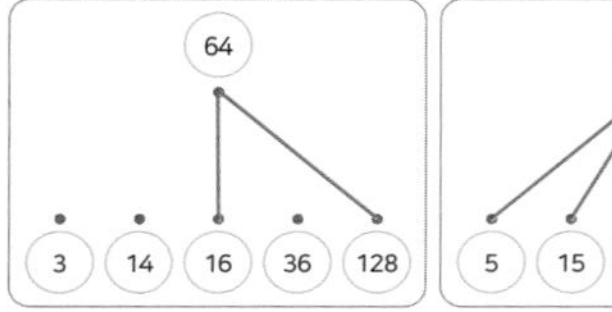

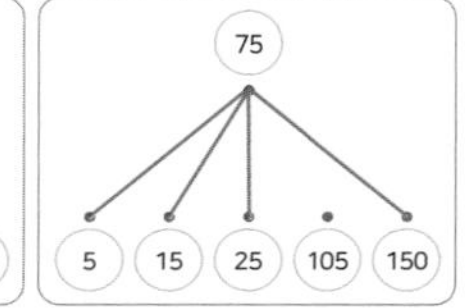

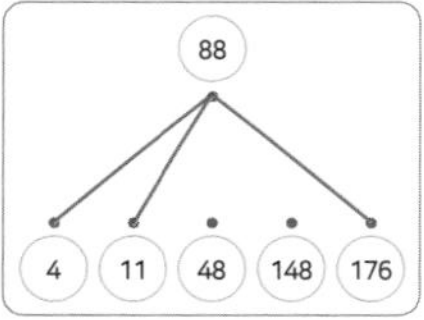

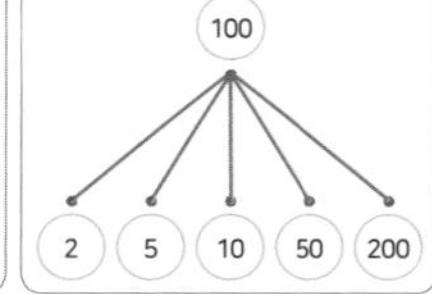

24쪽

4	58	**72**	56	**6**	**78**	**91**	78	**7**
32	**63**	**9**	75	**13**	**65**	**14**	114	**70**
144	**18**	74	85	**120**	**15**	**17**	61	**119**
95	25	**19**	13	**121**	**11**	**68**	24	**136**
63	120	**21**	**125**	80	**25**	142	**22**	**198**
130	30	**65**	**204**	132	**34**	38	**266**	192

2주차 - 도전! 계산왕

26쪽

① 1, 2, 3, 4, 6, 12
② 1, 2, 4, 5, 10, 20
③ 1, 2, 4, 11, 22, 44
④ 1, 2, 4, 7, 8, 14, 28, 56
⑤ 1, 2, 3, 4, 6, 8, 9, 12, 18, 24, 36, 72
⑥ 1, 2, 11, 22
⑦ 1, 5, 7, 35
⑧ 1, 2, 5, 10, 25, 50
⑨ 1, 2, 3, 4, 5, 6, 10, 12, 15, 20, 30, 60

27쪽

① 1, 2, 5, 10
② 1, 2, 3, 4, 6, 8, 12, 24
③ 1, 13
④ 1, 2, 4, 8, 16, 32
⑤ 1, 7, 49
⑥ 1, 2, 3, 6, 13, 26, 39, 78
⑦ 1, 2, 3, 4, 6, 8, 12, 16, 24, 48
⑧ 1, 3, 7, 9, 21, 63
⑨ 1, 2, 4, 5, 8, 10, 16, 20, 40, 80

28쪽

① 1, 11
② 1, 5, 25
③ 1, 2, 3, 5, 6, 10, 15, 30
④ 1, 3, 17, 51
⑤ 1, 2, 4, 8, 16, 32, 64
⑥ 1, 2, 13, 26
⑦ 1, 3, 11, 33
⑧ 1, 2, 3, 6, 9, 18, 27, 54
⑨ 1, 2, 3, 6, 11, 22, 33, 66

29쪽

① 1, 2, 4, 8, 16
② 1, 3, 9, 27
③ 1, 3, 5, 9, 15, 45
④ 1, 2, 4, 17, 34, 68
⑤ 1, 2, 4, 7, 14, 28
⑥ 1, 2, 3, 4, 6, 8, 12, 16, 24, 48
⑦ 1, 2, 3, 6, 7, 14, 21, 42
⑧ 1, 2, 3, 4, 5, 6, 10, 12, 15, 20, 30, 60
⑨ 1, 3, 9, 27, 81

30쪽

① 1, 3, 5, 15
② 1, 2, 3, 4, 6, 9, 12, 18, 36
③ 1, 2, 4, 5, 8, 10, 20, 40
④ 1, 5, 13, 65
⑤ 1, 2, 4, 8, 11, 22, 44, 88
⑥ 1, 2, 17, 34
⑦ 1, 3, 9, 27
⑧ 1, 2, 3, 6, 7, 14, 21, 42
⑨ 1, 3, 5, 15, 25, 75

31쪽

① 1, 3, 7, 21

② 1, 3, 13, 39

③ 1, 2, 4, 13, 26, 52

④ 1, 2, 5, 7, 10, 14, 35, 70

⑤ 1, 2, 4, 8, 16, 32

⑥ 1, 2, 3, 4, 6, 8, 12, 16, 24, 48

⑦ 1, 3, 5, 9, 15, 45

⑧ 1, 2, 31, 62

⑨ 1, 2, 3, 4, 6, 8, 12, 16, 24, 32, 48, 96

32쪽

① 1, 3, 9

② 1, 2, 4, 5, 10, 20

③ 1, 2, 3, 4, 6, 9, 12, 18, 36

④ 1, 7, 49

⑤ 1, 2, 3, 5, 6, 10, 15, 30

⑥ 1, 2, 4, 8, 16

⑦ 1, 2, 3, 6, 7, 14, 21, 42

⑧ 1, 3, 7, 9, 21, 63

⑨ 1, 2, 4, 5, 8, 10, 16, 20, 40, 80

33쪽

① 1, 2, 4, 8

② 1, 2, 3, 4, 6, 12

③ 1, 5, 25

④ 1, 2, 4, 5, 8, 10, 20, 40

⑤ 1, 5, 13, 65

⑥ 1, 3, 7, 21

⑦ 1, 2, 4, 7, 14, 28

⑧ 1, 2, 4, 7, 8, 14, 28, 56

⑨ 1, 2, 3, 4, 6, 8, 9, 12, 18, 24, 36, 72

34쪽

① 1, 2, 3, 4, 6, 8, 12, 24

② 1, 2, 5, 10

③ 1, 3, 9, 27

④ 1, 2, 5, 10, 25, 50

⑤ 1, 5, 19, 95

⑥ 1, 2, 4, 7, 14, 28

⑦ 1, 2, 3, 6

⑧ 1, 3, 11, 33

⑨ 1, 3, 9, 27, 81

35쪽

① 1, 2, 7, 14

② 1, 23

③ 1, 37

④ 1, 3, 5, 9, 15, 45

⑤ 1, 3, 17, 51

⑥ 1, 2, 3, 5, 6, 10, 15, 30

⑦ 1, 2, 11, 22

⑧ 1, 2 , 4, 13, 26, 52

⑨ 1, 2, 3, 4, 6, 8, 12, 16, 24, 32, 48, 96

3주차 - 공약수와 공배수

38쪽

12의 약수 1 2 3 4 6 12
20의 약수 1 2 4 5 10 20

8의 약수 1 2 4 8
20의 약수 1 2 4 5 10 20

18의 약수 1 2 3 6 9 18
15의 약수 1 3 5 15

12의 약수 1 2 3 4 6 12
24의 약수 1 2 3 4 6 8 12 24

39쪽

① 1, 2 ② 1, 2, 4, 8

③ 1, 2, 4 ④ 1, 3

⑤ 1, 2, 3, 4, 6, 12 ⑥ 1, 3, 5, 15

⑦ 1, 2, 3, 4, 6, 12 ⑧ 1, 2, 4, 5, 10, 20

⑨ 1, 2, 3, 6, 9, 18 ⑩ 1, 2, 4, 8

40쪽

6, 27 (   ) 6, 17 (○)

15, 23 (○) 3, 42 (   )

13, 26 (   ) 19, 12 (○)

18, 45 (   ) 8, 25 (○)

27, 28 (○) 49, 70 (   )

41, 16 (○) 39, 91 (   )

41쪽

① 2, 4, 6, 8, 10, 12, 14, 16, 18, 20, 22,⋯
3, 6, 9, 12, 15, 18, 21,⋯
6, 12, 18

② 2, 4, 6, 8, 10, 12, 14,⋯
4, 8, 12, 16, 20, 24,⋯
4, 8, 12

42쪽

① 20, 40, 60 ② 8, 16, 24

③ 9, 18, 27 ④ 24, 48, 72

⑤ 14, 28, 42 ⑥ 180, 360, 540

43쪽

7과 5의 공배수 : 35, 70, 105 (○)
두 수의 곱 : 35

6과 15의 공배수 : 30, 60, 90 (   )
두 수의 곱 : 90

3과 10의 공배수 : 30, 60, 90 (○)
두 수의 곱 : 30

35와 14의 공배수 : 70, 140, 210 (   )
두 수의 곱 : 490

9와 7의 공배수 : 63, 126, 189 (○)
두 수의 곱 : 63

8과 3의 공배수 : 24, 48, 72 (○)
두 수의 곱 : 24

4와 12의 공배수 : 12, 24, 36 (   )
두 수의 곱 : 48

12와 15의 공배수 : 60, 120, 180 (   )
두 수의 곱 : 180

44쪽

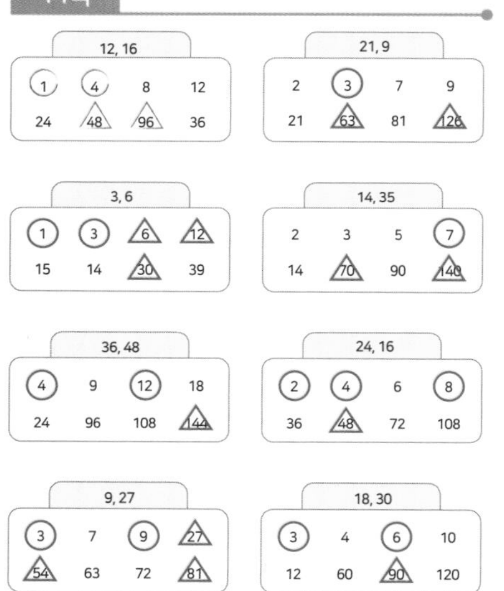

45쪽

5 | 18

6 | 9

21 | 15

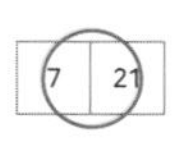
7 | 21

16 | 2

18 | 27

4 | 8

9 | 18

12 | 24

21 | 35

16 | 24

54 | 18

10 | 40

20 | 30

46쪽

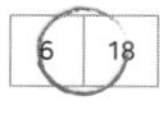
6 | 18

7 | 3

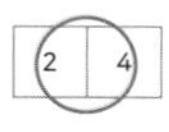
2 | 4

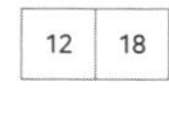
12 | 18

14 | 21

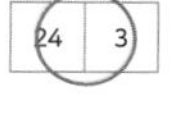
24 | 3

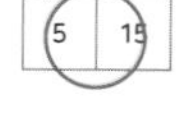
5 | 15

6 | 15

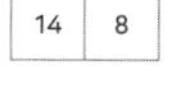
14 | 8

8 | 32

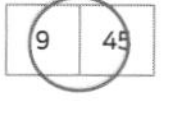
9 | 45

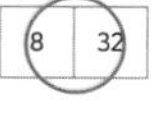
6 | 10

20 | 30

33 | 11

47쪽

① 1, 5
5

② 1, 2, 3, 4, 6, 12
12

③ 1, 2
2

④ 1, 2, 4, 8
8

⑤ 1, 2, 5, 10
10

⑥ 1, 2, 3, 6, 9, 18
18

48쪽

① 24, 48, 72
24

② 20, 40, 60
20

③ 18, 36, 54
18

④ 28, 56, 84
28

⑤ 21, 42, 63
21

⑥ 30, 60, 90
30

49쪽

① 4, 40 ② 6, 12
③ 10, 40 ④ 7, 42
⑤ 8, 48 ⑥ 5, 50
⑦ 8, 32 ⑧ 8, 80
⑨ 7, 70 ⑩ 2, 42
⑪ 3, 36 ⑫ 3, 60
⑬ 9, 90 ⑭ 24, 144

50쪽

① 3, 24
2, 4
7, 14
11, 22

② 6, 12
15, 30
9, 18
12, 24

③ 6, 36
8, 40
13, 52
20, 80

④ 12, 60
24, 96
32, 96
16, 96

⑤ 21, 84
27, 81
46, 92
25, 75

⑥ 13, 65
38, 76
16, 32
7, 42

51쪽

① 1, 21
1, 45
1, 88
1, 112

② 1, 42
1, 52
1, 110
1, 70

③ 1, 126
1, 48
1, 130
1, 276

④ 1, 209
1, 30
1, 208
1, 140

⑤ 1, 95
1, 42
1, 68
1, 90

⑥ 1, 33
1, 30
1, 93
1, 86

52쪽

81, 9		
27	3	(9)
162	△81	18

3, 13		
△39	9	26
16	(1)	6

27, 81		
72	9	54
(27)	3	△81

5, 22		
5	△110	15
(1)	2	220

92, 23		
(23)	184	46
115	96	△92

15, 16		
15	(1)	2
90	48	△240

84, 14		
7	42	△84
70	(14)	252

11, 12		
12	11	△132
23	(1)	121

4주차 - 최대공약수 구하기

54쪽

2) 10 30
5) 5 15
1 3
최대공약수: 2×5 = 10

3) 9 24
3 8
최대공약수: 3

7) 42 49
6 7
최대공약수: 7

2) 24 36
2) 12 18
3) 6 9
2 3
최대공약수: 2×2×3=12

55쪽

3) 15 24
5 8
최대공약수: 3

2) 18 30
3) 9 15
3 5
최대공약수: 2×3=6

2) 30 42
3) 15 21
5 7
최대공약수: 2×3=6

11) 33 44
3 4
최대공약수: 11

3) 9 27
3) 3 9
1 3
최대공약수: 3×3=9

2) 16 10
8 5
최대공약수: 2

5) 20 45
4 9
최대공약수: 5

2) 42 36
3) 21 18
7 6
최대공약수: 2×3=6

56쪽

3) 45 30
5) 15 10
3 2
최대공약수: 3×5=15

13) 26 91
2 7
최대공약수: 13

2) 8 22
4 11
최대공약수: 2

3) 9 21
3 7
최대공약수: 3

2) 16 24
2) 8 12
2) 4 6
2 3
최대공약수: 2×2×2=8

3) 30 27
10 9
최대공약수: 3

2) 24 40
2) 12 20
2) 6 10
3 5
최대공약수: 2×2×2=8

3) 27 63
3) 9 21
3 7
최대공약수: 3×3=9

57쪽

2) 64 28
2) 32 14
16 7
최대공약수: 2×2=4

2) 38 56
19 28
최대공약수: 2

3) 27 36
3) 9 12
3 4
최대공약수: 3×3=9

3) 33 66
11) 11 22
1 2
최대공약수: 3×11=33

2) 60 24
2) 30 12
3) 15 6
5 2
최대공약수: 2×2×3=12

2) 20 32
2) 10 16
5 8
최대공약수: 2×2=4

5) 25 45
5 9
최대공약수: 5

2) 42 54
3) 21 27
7 9
최대공약수: 2×3=6

58쪽

5) 35 40
7 8
최대공약수: 5

2) 56 24
2) 28 12
2) 14 6
7 3
최대공약수: 2×2×2=8

3) 27 45
3) 9 15
3 5
최대공약수: 3×3=9

5) 95 45
19 9
최대공약수: 5

5) 15 40
3 8
최대공약수: 5

5) 70 35
7) 14 7
2 1
최대공약수: 5×7=35

2) 64 84
2) 32 42
16 21
최대공약수: 2×2=4

2) 12 40
2) 6 20
3 10
최대공약수: 2×2=4

59쪽

① 5 ② 6 ③ 2
④ 3 ⑤ 12 ⑥ 5
⑦ 5 ⑧ 2 ⑨ 7
⑩ 8 ⑪ 3 ⑫ 3

60쪽

① 2×2=4
② 3 ③ 7
④ 3 ⑤ 2×5=10

61쪽

① 7 ② 5
③ 2×3=6 ④ 2
⑤ 3 ⑥ 2×2=4
⑦ 2×7=14 ⑧ 3×3=9
⑨ 3×5=15 ⑩ 2×5=10

62쪽

① 2×3=6 ② 3×5=15
③ 2×2=4 ④ 3
⑤ 5 ⑥ 7
⑦ 2×2×3=12 ⑧ 2
⑨ 5 ⑩ 2×7=14

63쪽

① 2×2=4 ② 5
③ 3×3=9 ④ 7
⑤ 2×2×3=12 ⑥ 13
⑦ 2×2×2×2=16 ⑧ 2×2×3×3=36
⑨ 2 ⑩ 2×2=4

64쪽

① 3 ② 3×5=15
③ 7 ④ 2×2=4
⑤ 2×3=6 ⑥ 2×2=4
⑦ 3 ⑧ 3
⑨ 2 ⑩ 2×5=10

65쪽

① 5 ② 6 ⑦ 5 ⑧ 2
③ 2 ④ 3 ⑨ 7 ⑩ 8
⑤ 12 ⑥ 5 ⑪ 3 ⑫ 15

66쪽

① 6
1, 2, 3, 6
② 3
1, 3
③ 4
1, 2, 4
④ 11
1, 11
⑤ 5
1, 5
⑥ 10
1, 2, 5, 10

67쪽

① 3
1, 3
② 12
1, 2, 3, 4, 6, 12
③ 8
1, 2, 4, 8
④ 8
1, 2, 4, 8
⑤ 15
1, 3, 5, 15
⑥ 3
1, 3
⑦ 7
1, 7
⑧ 21
1, 3, 7, 21
⑨ 6
1, 2, 3, 6
⑩ 6
1, 2, 3, 6

68쪽

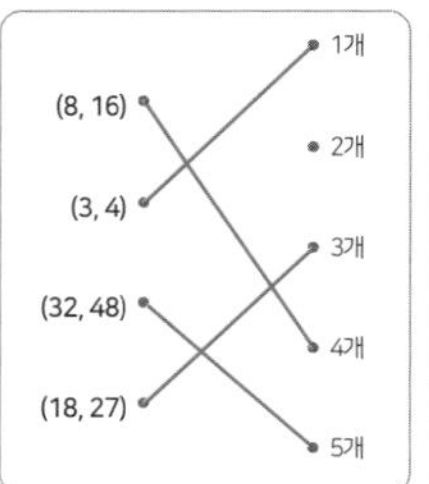

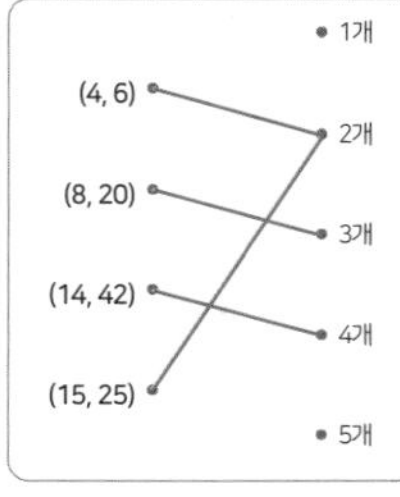

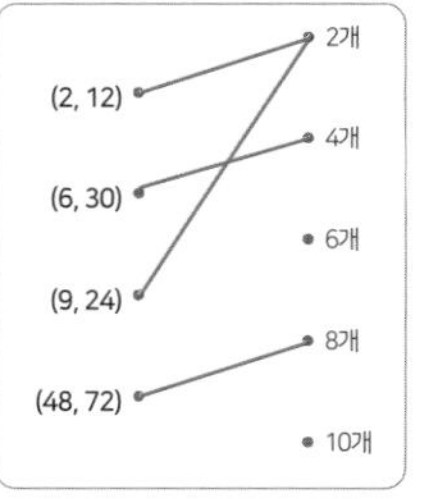

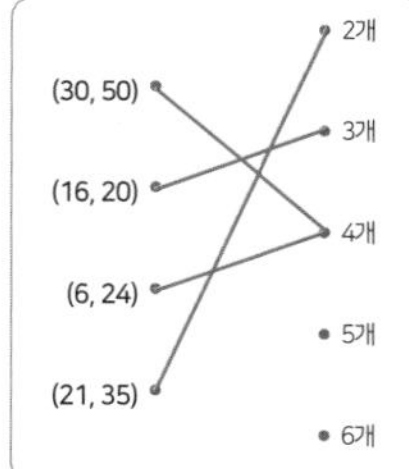

5주차 - 최소공배수 구하기

70쪽

2)10 30
5)5 15
1 3
최소공배수: 2×5×1×3=30

3)9 21
3 7
최소공배수: 3×3×7=63

2)8 22
4 11
최소공배수: 2×4×11=88

2)16 10
8 5
최소공배수: 2×8×5=80

71쪽

3)9 27
3)3 9
1 3
최소공배수: 3×3×3=27

3)9 24
3 8
최소공배수: 3×3×8=72

3)27 36
3)9 12
3 4
최소공배수: 3×3×3×4=108

5)20 45
4 9
최소공배수: 5×4×9=180

3)15 24
5 8
최소공배수: 3×5×8=120

2)12 40
2)6 20
3 10
최소공배수: 2×2×3×10=120

2)56 24
2)28 12
2)14 6
7 3
최소공배수: 2×2×2×7×3=168

5)15 40
3 8
최소공배수: 5×3×8=120

72쪽

8) 16 24
2 3
최소공배수: 8×2×3=48

7) 42 49
6 7
최소공배수: 7×6×7=294

4) 24 36
3) 6 9
2 3
최소공배수: 4×3×2×3=72

6) 30 42
5 7
최소공배수: 6×5×7=210

11) 33 44
3 4
최소공배수: 11×3×4=132

6) 18 30
3 5
최소공배수: 6×3×5=90

6) 42 36
7 6
최소공배수: 6×7×6=252

5) 95 45
19 9
최소공배수: 5×19×9=855

73쪽

4) 64 84
16 21
최소공배수: 4×16×21=1344

5) 45 30
3) 9 6
3 2
최소공배수: 5×3×3×2=90

5) 70 35
7) 14 7
2 1
최소공배수: 5×7×2=70

6) 42 54
7 9
최소공배수: 6×7×9=378

13) 26 91
2 7
최소공배수: 13×2×7=182

5) 10 45
2 9
최소공배수: 5×2×9=90

2) 18 10
9 5
최소공배수: 2×9×5=90

7) 49 28
7 4
최소공배수: 7×7×4=196

74쪽

9) 27 63
3 7
최소공배수: 9×3×7=189

4) 20 32
5 8
최소공배수: 4×5×8=160

5) 35 40
7 8
최소공배수: 5×7×8=280

9) 27 45
3 5
최소공배수: 9×3×5=135

6) 60 24
2) 10 4
5 2
최소공배수: 6×2×5×2=120

4) 24 40
2) 6 10
3 5
최소공배수: 4×2×3×5=120

3) 30 27
10 9
최소공배수: 3×10×9=270

5) 25 45
5 9
최소공배수: 5×5×9=225

75쪽

16, 24	~~36~~ 48	14, 28	~~56~~ 28
18, 30	90	4, 9	36
9, 63	63	4, 14	28
8, 9	72	32, 48	~~192~~ 96
30, 45	~~180~~ 90	12, 17	~~144~~ 204
11, 88	~~66~~ 88	18, 72	72
11, 22	~~33~~ 22	64, 72	~~288~~ 576

76쪽

① 2×3×2×7=84
② 3×3×17=153 ③ 3×2×2×3=36
④ 3×7×2×3=126 ⑤ 5×3×5=75

77쪽

① 2×2×2×2×7=112 ② 2×3×3=18
③ 2×3×3×2×2=72 ④ 2×3×3×2=36
⑤ 5×2×2×5=100 ⑥ 2×2×2×3×3=72
⑦ 2×5×7=70 ⑧ 3×5×2×3=90
⑨ 2×2×2×5=40 ⑩ 3×2×3×5=90

78쪽

① 3×3×5=45 ② 7×2×2×5=140
③ 2×2×3×2×2=48 ④ 3×5×3=45
⑤ 7×5×3=105 ⑥ 7×3×2×2=84
⑦ 2×2×2×2×5=80 ⑧ 2×3×7×3=126
⑨ 3×2×3×3=54 ⑩ 3×3×2×3=54

79쪽

① 5×3×3×2×2=180 ② 2×3×3×2×2=72
③ 2×3×3×3=54 ④ 2×2×3×3×2=72
⑤ 7×5×7=245 ⑥ 3×5×2×3=90
⑦ 2×5×2×3=60 ⑧ 2×2×3×3×2=72
⑨ 2×3×3×7=126 ⑩ 3×2×5×3=90

80쪽

① 2×19×2×2×7=1064 ② 3×3×3=27
③ 2×2×3×2=24 ④ 2×2×2×3=24
⑤ 2×13×3=78 ⑥ 2×2×2×2×3=48
⑦ 2×2×7×2×2×2×2=448 ⑧ 7×2×5=70
⑨ 3×3×2×2×2=72 ⑩ 5×3×2×5=150

81쪽

① 72 ② 60 ③ 54
④ 70 ⑤ 90 ⑥ 90
⑦ 18 ⑧ 100 ⑨ 90
⑩ 196 ⑪ 80 ⑫ 30

82쪽

① 24
24, 48, 72

② 200
200, 400, 600

③ 54
54, 108, 162

④ 44
44, 88, 132

⑤ 192
192, 384, 576

⑥ 180
180, 360, 540

83쪽

① 32
32, 64, 96

② 84
84, 168, 252

③ 120
120, 240, 360

④ 66
66, 132, 198

⑤ 108
108, 216, 324

⑥ 324
324, 648, 972

⑦ 30
30, 60, 90

⑧ 840
840, 1680, 2520

⑨ 240
240, 480, 720

⑩ 576
576, 1152, 1728

84쪽

① 320 ② 522

③ 264 ④ 324

⑤ 330 ⑥ 351

⑦ 912 ⑧ 288

⑨ 336 ⑩ 288

6주차 - 도전! 계산왕

86쪽

① 2, 60 ② 7, 210 ③ 20, 40

④ 6, 270 ⑤ 27, 54 ⑥ 18, 108

⑦ 11, 110 ⑧ 5, 100 ⑨ 4, 40

⑩ 10, 300 ⑪ 6, 72 ⑫ 18, 36

87쪽

① 18, 36 ② 24, 48 ③ 2, 20

④ 6, 12 ⑤ 4, 24 ⑥ 8, 80

⑦ 10, 120 ⑧ 22, 66 ⑨ 3, 36

⑩ 8, 96 ⑪ 10, 60 ⑫ 7, 42

88쪽

① 14, 42 ② 5, 100 ③ 4, 24

④ 9, 18 ⑤ 3, 36 ⑥ 3, 60

⑦ 10, 20 ⑧ 10, 420 ⑨ 3, 90

⑩ 5, 150 ⑪ 13, 156 ⑫ 14, 84

89쪽

① 18, 36 ② 16, 32 ③ 20, 60

④ 24, 48 ⑤ 7, 84 ⑥ 18, 108

⑦ 4, 80 ⑧ 8, 48 ⑨ 7, 105

⑩ 11, 220 ⑪ 2, 24 ⑫ 18, 36

90쪽

① 24, 48 ② 27, 54 ③ 8, 96

④ 9, 180 ⑤ 10, 300 ⑥ 20, 120

⑦ 5, 75 ⑧ 10, 200 ⑨ 27, 54

⑩ 1, 900 ⑪ 9, 315 ⑫ 8, 24

91쪽

① 12, 24 ② 4, 12 ③ 7, 210

④ 4, 24 ⑤ 11, 330 ⑥ 2, 60

⑦ 3, 18 ⑧ 8, 160 ⑨ 10, 150

⑩ 4, 80 ⑪ 16, 48 ⑫ 6, 72

92쪽

① 11, 132 ② 9, 54 ③ 8, 160

④ 2, 40 ⑤ 4, 60 ⑥ 9, 135

⑦ 4, 48 ⑧ 8, 96 ⑨ 14, 42

⑩ 33, 66 ⑪ 6, 36 ⑫ 18, 108

93쪽

① 6, 252 ② 10, 150 ③ 4, 40

④ 5, 75 ⑤ 3, 18 ⑥ 11, 66

⑦ 11, 220 ⑧ 8, 24 ⑨ 9, 54

⑩ 8, 48 ⑪ 18, 36 ⑫ 3, 36

94쪽

① 5, 75 ② 4, 48 ③ 5, 210

④ 5, 60 ⑤ 8, 24 ⑥ 21, 42

⑦ 6, 18 ⑧ 7, 504 ⑨ 10, 200

⑩ 20, 60 ⑪ 3, 30 ⑫ 16, 96

95쪽

① 12, 72 ② 14, 84 ③ 11, 132

④ 5, 100 ⑤ 9, 108 ⑥ 11, 165

⑦ 14, 42 ⑧ 2, 60 ⑨ 6, 72

⑩ 4, 60 ⑪ 14, 28 ⑫ 3, 30

총괄 테스트 정답

총괄 테스트

이름 점수

01 다음과 같이 곱셈을 이용하여 약수를 모두 구하세요.

6의 약수 1×6, 2×3 ➡ 1, 2, 3, 6

① 49의 약수 1×49, 7×7 ➡ 1, 7, 49

② 27의 약수 1×27, 3×9 ➡ 1, 3, 9, 27

02 세 수 중에서 약수와 배수의 관계인 두 수를 찾아 모두 ○표 하세요.

(72) 34 (6)   (45) 7 (9)

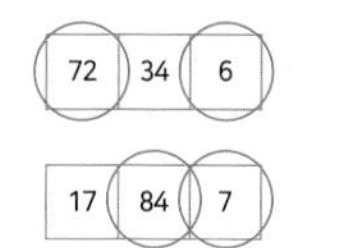

17 (84) (7)   (55) 13 (5)

03 약수를 모두 구하세요.

①	48	1, 2, 3, 4, 6, 8, 12, 16, 24, 48
②	40	1, 2, 4, 5, 8, 10, 20, 40

04 빈 곳에 두 수의 공약수를 모두 써넣으세요.

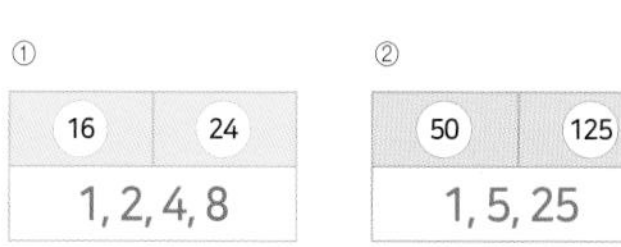

①

16	24
1, 2, 4, 8	

②

50	125
1, 5, 25	

05 공약수가 두 수 중 작은 수의 약수와 같은 것에 모두 ○표 하세요.

30 18   (8 48)

9 15   18 27

(3 36)   30 9

06 ◇ 안에는 두 수의 최대공약수를, ○ 안에는 두 수의 최소공배수를 각각 써넣으세요.

① ◇8 16, 24 ○48

② ◇9 9, 18 ○18

07 두 수를 동시에 나누어서 최대공약수를 구하세요.

3) 18 27 / 3) 6 9 / 2 3 — 최대공약수 : 9

2) 36 40 / 2) 18 20 / 9 10 — 최대공약수 : 4

08 두 수를 동시에 나누어서 최소공배수를 구하세요.

5) 35 25 / 7 5 — 최소공배수 : 175

2) 24 44 / 2) 12 22 / 6 11 — 최소공배수 : 264

09 빈 곳에 두 수의 최대공약수와 최소공배수를 써넣으세요.

① 최대공약수 4, 최소공배수 240) 20 48

② 최대공약수 6, 최소공배수 36) 18 12

10 □에는 두 수의 최대공약수를, ○에는 두 수의 최소공배수를 써넣으세요.

①

		□	○
48	8	8	48
9	45	9	45
56	49	7	392
25	30	5	150

②

		□	○
60	48	12	240
20	25	5	100
33	22	11	66
40	20	20	40

11 다음과 같이 곱셈을 이용하여 약수를 모두 구하세요.

8의 약수 1×8, 2×4 ➡ 1, 2, 4, 8

① 21의 약수 1×21, 3×7 ➡ 1, 3, 7, 21

② 10의 약수 1×10, 2×5 ➡ 1, 2, 5, 10

12 세 수 중에서 약수와 배수의 관계인 두 수를 찾아 모두 ○표 하세요.

(7) (35) 15   (9) 15 (81)

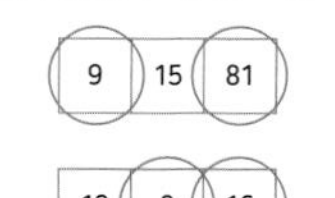

(36) (12) 20   12 (8) (16)

13 약수를 모두 구하세요.

①	64	1, 2, 4, 8, 16, 32, 64
②	36	1, 2, 3, 4, 6, 9, 12, 18, 36

14 빈 곳에 두 수의 공약수를 모두 써넣으세요.

①

40	36
1, 2, 4	

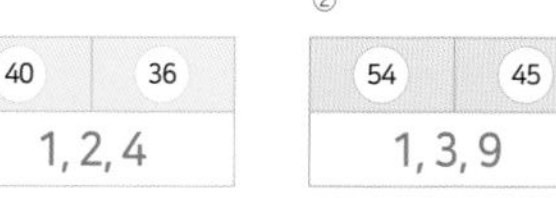

②

54	45
1, 3, 9	

15 공약수가 두 수 중 작은 수의 약수와 같은 것에 모두 ○표 하세요.

15 21   (36 18)

(25 50)   99 55

(42 14)   8 58

16 ◇ 안에는 두 수의 최대공약수를, ○ 안에는 두 수의 최소공배수를 각각 써넣으세요.

① ◇4 20, 12 ○60

② ◇3 15, 9 ○45

17 두 수를 동시에 나누어서 최대공약수를 구하세요.

2) 18 30 / 3) 9 15 / 3 5 — 최대공약수 : 6

2) 28 42 / 7) 14 21 / 2 3 — 최대공약수 : 14

18 두 수를 동시에 나누어서 최소공배수를 구하세요.

7) 35 21 / 5 3 — 최소공배수 : 105

3) 45 60 / 5) 15 20 / 3 4 — 최소공배수 : 180

19 빈 곳에 두 수의 최대공약수와 최소공배수를 써넣으세요.

① 최대공약수 10, 최소공배수 150) 50 30

② 최대공약수 12, 최소공배수 144) 36 48

20 □에는 두 수의 최대공약수를, ○에는 두 수의 최소공배수를 써넣으세요.

①

		□	○
50	25	25	50
20	12	4	60
35	20	5	140
22	6	2	66

②

		□	○
7	6	1	42
30	40	10	120
22	55	11	110
21	9	3	63

초등 | 수학 전문가가 만든 연산 교재

원리셈

원리 이해

다양한 계산 방법

충분한 연습

성취도 확인

그 많은 문제를 풀고도 몰랐던

초등 사고력 수학의 원리 1
초등 사고력 수학의 전략 2

- 초등 사고력 수학의 원리 1
  원리는 수학의 시작
- 초등 사고력 수학의 전략 2
  문제해결은 수학의 끝

✓ **진정한 수학 실력은** 원리의 이해와 문제 해결 전략에서 나온다.

✓ **수학의 시작과 끝을** 제대로 알고 수학 실력 올리자!

✓ **재미있게 읽을 수 있는** 17년 초등 사고력 수학의 노하우

천종현수학연구소의 교재 흐름도

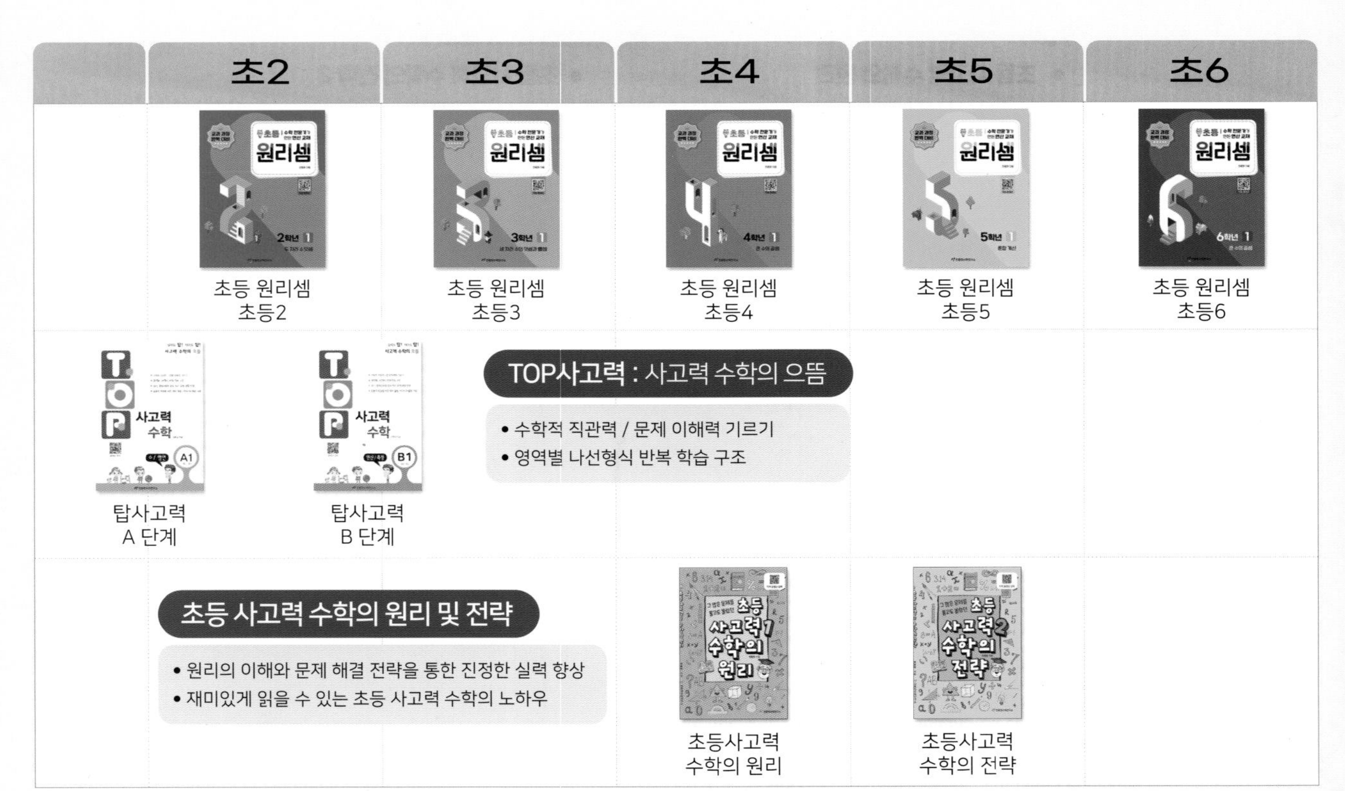